I0587756

DU MÊME AUTEUR

chez le même éditeur

L'Art de la simplicité, 2005

L'ART DES LISTES

DOMINIQUE LOREAU

L'ART DES LISTES

Simplifier, organiser, enrichir sa vie

ROBERT LAFFONT

ISBN 978-2-221-10931-1

Sommaire

Deuxième partie

LES LISTES POUR...
APPRENDRE À MIEUX SE CONNAÎTRE

Troisième partie

LES LISTES POUR...
PRENDRE SOIN DE SOI

Quatrième partie

LES LISTES DE MES MILLE ET UN PLAISIRS

Cinquième partie

LES LISTES MODE D'EMPLOI

À tous ceux qui veulent :

Se simplifier l'existence
Aller à la découverte d'eux-mêmes
Garder le meilleur de leurs souvenirs
Découvrir mille et un petits plaisirs
Trouver le véritable chemin de leur vie

« Sur mon bureau l'agenda
Encore vierge
Les trois jours de l'an. »

Haïku de Yoshida Nobuko

Introduction

> « Il y a plus de listes dans le ciel et sur la terre, George, que n'en rêve votre écholalie. »
>
> William Shakespeare

Des listes de :
« Choses amusantes »
« Choses qui font battre le cœur »
« Choses extrêmement contrariantes »
« Choses plaisantes »

Et, sous cette dernière rubrique :
« C'est bien plaisant, dans les nuits froides d'hiver, d'être ensevelie avec son amant sous une montagne de courtepointes. »
Ou encore :
« De se coucher seule dans une chambre parfaitement parfumée. »

Ainsi notait, chaque jour, au XVIe siècle, la première et plus célèbre courtisane des écrivains japonais, Sei Shonagon, sur ce qu'elle éprouvait au fil de sa vie.

Des pictogrammes sumériens à Internet, en passant par les florilèges et les miscellanées, les almanachs, les compilations et les encyclopédies, les écrits sur pierre, écorce, argile, papier, plastique et aujourd'hui écrans plasma, l'homme a toujours ressenti le besoin d'écrire ou de dessiner idées, événements, faits, et d'en dresser la liste méthodique et détaillée.

Dans les monastères du Moyen Âge, les premiers livres se rédigeaient sous forme d'inventaires. En Asie, les empereurs mandataient leurs fonctionnaires pour faire recenser par la population toutes sortes de choses : variétés de plantes médicinales, faune et coutumes locales, spécialités culinaires, cultes religieux...

Ce que chacun recherchait, c'était la connaissance universelle et, à travers elle, la connaissance de soi. Grâce à ces formes d'énumérations, les listes, l'homme pouvait découvrir l'Univers, en saisir l'essence, et alors mieux le comprendre.

Cette quête, l'humanité continue à la poursuivre : quelle est notre vraie nature, quel est le sens de la vie ?

De par sa concision et sa forme ramassée, de par la simplicité de sa présentation et l'immédiateté de son approche, de par le prisme des mots qu'elle concentre, la liste nous donne une voie d'accès directe à l'exploration illimitée de notre vie. Forme de langage et de savoir, elle permet d'aborder les faits avec une clarté magique qui les rend évidents et nous amène à nous enrichir et à mener notre vie avec plus de profondeur.

Se constituer des listes de ses souvenirs, de ses rêves, de ses aspirations, de ses goûts, aller chercher au plus profond de soi toutes sortes de trésors cachés, de pouvoirs créatifs, de souvenirs, de rêves abandonnés, faire remonter à la surface mille parcelles de son soi jusque-là diffus ou ignoré, affiner ses sens, se restructurer, réfléchir, évoluer, apprivoiser le silence et la solitude, se simplifier la vie mais aussi la valoriser, voilà ce que permettent les listes. Quel moyen plus agréable, plus efficace et plus gratifiant de faire ce que l'on veut pour soi, par soi et en soi ?

Parce que le temps nous manque, souvent nous oublions qui nous sommes. La liste, de par sa forme elliptique, s'adapte parfaitement à notre époque : non seulement pour la prise de conscience qu'elle suscite, mais pour le renouveau spirituel qu'elle éveille.

Et puis, cela va sans dire, elle permet d'alléger, de clarifier notre mental. Le zen préconise de se plier aux formes pour pouvoir s'en libérer et atteindre l'accomplissement. Les listes sont cette forme. Qu'en reste-t-il ? Plus de lucidité, plus de légèreté au quotidien et un enrichissement immense sur tous les plans.

Pourquoi des listes ?

Nous avons tous besoin des listes

> « Pourquoi les nuages sont-ils si beaux ? Le nombre des raisons pour lesquelles ils sont beaux déborderait largement le cadre de cette page s'il fallait en dresser la liste complète. Ils sont beaux quand ils sont utiles et qu'on les souhaite, mais aussi quand ils sont inquiétants. Quand ils sont blancs comme des moutons ou noirs comme des loups. »
>
> Chronique de Jean-Luc Nothias, *Le Figaro* du 17 août 2005

Que nous en soyons conscients ou non, notre être même est une collection de listes, de par son inévitable appartenance au passé, au présent et au futur.

Les listes font partie de notre quotidien comme de notre mental. Elles nous apportent un support indispensable. Nous en dressons des centaines : ce que nous devons faire, voudrions faire, avons fait, des listes d'adresses, de recettes, de lectures, d'objets à emporter en voyage, de projets... Souvent, elles nous aident à « fonctionner ». Mais il faut bien l'admettre, elles n'ont pas leur place dans les écrits que nous conservons, ni la reconnaissance qu'elles méritent. Elles nous aident tant, pourtant, à garder le contrôle de notre vie, à gagner du temps, à éviter les oublis, la confusion, le stress... Alors pourquoi ne pas, une bonne fois pour toutes, accepter que ces listes, apparemment inutiles pour les uns, astreignantes pour les autres, nous sont nécessaires, utiles, précieuses, et qu'en apprenant à les systématiser, à les aimer, et à en tirer intelligemment parti, nous pourrions vivre plus simplement, plus légèrement et plus intensément ?

Le développement personnel

Autrefois, nous avions des médecins de famille, des prêtres, des directeurs de conscience, des maîtres, des aînés auxquels nous confier, demander des conseils d'ordre pratique, moral ou spirituel. Aujourd'hui, ces personnes ont cédé la place aux thérapeutes, aux diverses techniques de « développement personnel », aux psychologues, aux psychothérapeutes, aux « coachs » et, bien sûr, à l'industrie pharmaceutique.

Mais le développement personnel n'en reste pas moins aussi important : il est le fondement de tout. Un nombre croissant des publications de ce nouveau genre inonde le marché, divulguant recettes, méthodes, techniques sur l'accomplissement de la personnalité, l'identité, le comportement individuel, le fonctionnement du psychisme... Et toutes, quelque part, recommandent de prendre des notes, de faire des listes.

Bien des sujets nous intéressent, des conseils nous interpellent, mais ils sont si nombreux qu'on ne peut tous les approfondir. De plus, nous espérons toujours un peu inconsciemment qu'il y aura, dans le prochain livre, dans le prochain magazine, quelque chose de mieux, de plus efficace, de plus facile, de plus rapide... Alors nous continuons inlassablement nos lectures, sans cesse à l'affût du dernier secret miracle pour mincir, déstresser, trouver le prince charmant ou le bonheur.

Pour être honnêtes, que retirons-nous de tout cela? Que mettons-nous réellement en pratique? Que reste-t-il, au bout du compte, de toutes ces heures et de cet argent dépensés en livres et en magazines?

Conseils de vie, de bien-être physique et mental, de questionnements spirituels... si nous lisons ces ouvrages, c'est que nous avons le désir de changer, d'évoluer. Mais pour cela, il faut agir, s'impliquer. Ce n'est pas se contenter de lire des conseils qui va donner des résultats, mais ce que nous faisons, nous, de ces conseils.

Alors, si vous voulez véritablement tirer avantage de tout ce que préconisent ces lectures, procurez-vous un bon gros carnet et notez. Notez tous les thèmes de listes à faire et les exercices recommandés qui vous semblent efficaces et adaptés à votre profil; « éditez » vos propres centres d'intérêt pour les mettre en pratique, les développer et en tirer intelligemment parti. Avec ce carnet, vous saurez où inscrire ce que vous aimeriez approfondir, expérimenter, et vous vous constituerez vos propres écrits de tout ce qui semble avoir une signification et de l'importance pour vous.

Et puis enfin vous saurez aussi où noter toutes ces petites choses que vous souhaiteriez garder en mémoire, que vous avez souvent envie, sans vraiment y penser, de noter, mais auxquelles vous renoncez. Pourquoi ? Souvent par paresse ou par un sentiment inconscient de futilité, mais surtout par manque d'organisation. Une petite voix en vous gémit : « Où noter cela ? De toute façon ce morceau de papier partira à la poubelle ou sous le canapé... Finalement, à quoi bon ? », et vous laissez tomber, effectivement, sachant que ces « mémos » disparaîtront quelque part. Mais faire des listes, vous montrera ce livre, n'est ni fatigant ni vain, ni pour les écervelés. Au contraire, c'est systématiser un moyen de s'enrichir, seconder sa mémoire, la rafraîchir, et vivre plus intensément.

Les listes, question de personnalité

« Les listes ? J'en fais constamment, je ne pourrais vivre sans elles ; elles me rassurent. »

« Les listes ? Je vis en permanence avec elles au quotidien. Elles sont mes références, mon support. »

« Les listes ? Je les oublie toujours sur le coin de la

table. Mais le fait de les avoir écrites me permet de me souvenir de ce que je dois mettre dans mon caddie. »

Quand je demande aux personnes de mon entourage si elles font des listes, les unes prennent un air détaché, presque condescendant, pour me répondre que oui, bien sûr, elles en font pour aller faire leurs courses. Sinon, quel intérêt ? Les autres s'illuminent : « Je fais des listes de tout, absolument tout : des endroits que j'aimerais visiter, des objets que j'ai chez moi, des cadeaux à faire dans l'année. »

« Les listes ? Mon père en faisait de magnifiques. Il avait un système très particulier de les composer, par cases correspondant à chaque jour, chaque semaine, chaque mois. Il les pliait en accordéon. J'aurais aimé en conserver quelques-unes, tellement elles étaient originales. »

« Je fais la liste de toutes les variétés de plantes et d'arbres que nous avons dans le jardin. »

Quoi qu'il en soit, même si, de prime abord, poser cette question semble incongru, évoquer le sujet est très instructif. Outre le fait que ceux qui font des listes aiment en général beaucoup en parler, ils nous dévoilent, à leur insu, toutes sortes de traits de caractère que nous ignorions d'eux. On découvre ainsi qu'une personne que l'on croyait sans passion particulière est artiste, qu'une autre, apparemment bohème, tient ses comptes au centime près...

Faire des listes est en effet question de tempérament et les personnes qui en font sont souvent très intéressantes, comme tout collectionneur. Il existe même sur Internet un site (Écolalistes) pour ceux qui veulent publier les leurs : plus de deux mille listes à ce jour !

Mais les listes sont aussi un phénomène culturel. Un étudiant de Todai, l'université la plus prestigieuse du Japon, me disait que lui et ses amis sont formés à tout noter, que ce soit les films vus, les livres lus ou à lire, les expositions, les matchs de baseball, les endroits visités... afin d'être prêts, lors de l'examen final, à exploiter au mieux toutes les connaissances qu'ils ont accumulées dans les domaines les plus variés.

Au Japon, on se réfère souvent à la « listomania », la manie de faire des listes. Les Japonais aiment la perfection, les extrêmes. Cela fait partie de leur caractère. Certains sont méthodiques à un degré inimaginable pour un autre peuple ; ils listent tout et veulent posséder à fond ce qu'ils connaissent. Comment expliquer ce phénomène ? L'amour du multiple sous un tout : posséder des connaissances et garder des traces de tout sans s'encombrer de divers documents (brochures, tickets de cinéma, articles de journaux...) ; l'art de posséder sans posséder, et de ne rien posséder en ayant tout. Serait-ce parce que le zen recommande de se débarrasser de l'inutile pour s'adonner à la vie ?

Faire des listes, c'est savourer la vie : c'est aussi l'art d'étirer le temps, de le démultiplier, de le scander, de le mesurer à l'aide de repères, et d'en collectionner les moments, à l'infini.

L'art du peu, un style sans syntaxe

> « Aube
> Souffle des baleines
> Mer glacée. »
>
> Gyodai

La liste est la forme d'expression la plus concise qui existe; paradoxalement, son style elliptique revêt le caractère le plus exhaustif dans tous les domaines. Sa brièveté même nous mène à l'évidence. Et cela, avec bien plus de force parfois que des phrases encombrées de toute une syntaxe. Apprendre à réduire le nombre de phrases, de mots, utiliser des formules courtes, simples, faciles à noter, à lire et à relire, à comprendre, pour obtenir, par quelque court énoncé, une satisfaction maximale, pour livrer, en une ligne, le pur diamant d'une sensation, c'est cela, faire des listes. Et ça peut même devenir un art, comme celui du haïku.

La poésie a toujours fait partie de l'écriture. Pourquoi ne ferait-elle pas partie des listes? Les Japonais s'expriment souvent par haïkus. Ces poèmes, sortes de visualisations, doivent, en principe, ne jamais être plus longs qu'une respiration. Notre civilisation occidentale, elle, souffre de logorrhée. Les phrases, les longs exposés nous intoxiquent. Nous nous perdons en paroles inutiles, vides de sens et de profondeur, d'autant plus longues et nombreuses que notre encombrement mental est fort.

Des mots, encore des mots... le verbiage obscurcit l'éveil de notre pensée comme la mauvaise herbe étouffe les plantes. Le haïku, en revanche, est si concis et si dense qu'il fait comme jaillir une étincelle et nous conduit immédiatement au cœur des choses.

Son secret ? Une simple juxtaposition de mots, sans logique linéaire. Pas de socle « cartésien » comme l'explique Corinne Atlan, éminente traductrice française de nombreux ouvrages japonais. Sans même « exprimer » les choses, la simple juxtaposition de quelques formules peut créer une connotation étonnante et nous faire saisir ce que le langage construit ne peut exprimer. État proche de la « non-parole », comme dans le zen.

Quelques idéogrammes, associations d'idées, collages, dessins, tableaux verbaux suffisent à dessiner le monde. Pour conduire l'esprit vers ce qui est, pour avoir une révélation soudaine, quoi de plus simple et évident qu'une suite de mots ?

Les listes, elles aussi, sont des suites de mots. Elles peuvent nous faire condenser notre expérience de manière poétique et profonde, saisir au vol l'essence d'un instant, aller à l'essentiel. Le brouillard des mots n'est plus là pour cacher ce que l'on souhaite exprimer. Maximes et proverbes ne retiennent-ils pas le même principe ?

Composer, corriger, élaguer, préciser, peaufiner... le travail de rature, de filtrage de l'écrit, c'est comme délaisser graduellement tout ce qui ne nous est plus nécessaire au fur et à mesure que nous aspirons à l'essentiel. Il est toujours possible d'aller plus loin dans l'énoncé de vérités, de convictions intimes, de plaisirs flous mais intenses. Comme dans l'art des haï-kus, composer des listes peut représenter un moyen de formaliser un agrégat de mots, de sensations, en une sorte de mini-composition artistique.

Les mots sont comme une demeure que nous habitons. Utilisons-les avec autant de soin et d'amour que possible pour garder trace de tous ces petits riens dont se trame notre vie.

Journaux intimes ou listes ?

> « Je n'aurai bientôt plus de place pour ranger mes cahiers, nombreux et de formats différents, cahiers que j'arrive à cacher dans des cartons, des valises, sous des rideaux, sous des lits, dans un berceau au grenier depuis longtemps inoccupé... Une femme de ménage est venue m'aider à mettre mes cahiers dans de vieux draps... nous en faisions des paquets que l'on cousait. J'appelais ces paquets mes Momies et on mettait dessus la date de fabrication. Les Momies s'entassaient dans des cartons pour dérouter les curieux, portant l'étiquette Linge blanc. »
>
> Une femme de quatre-vingt-deux ans,
> dans *Cher cahier*,
> témoignages recueillis par Philippe Lejeune

Autrefois, tenir un journal relevait presque d'une sorte d'obligation morale. Dans certains pays, comme le Japon, beaucoup de personnes pratiquent encore ce rituel. La question ne se pose pas pour elles de savoir à quoi cela sert. Elles l'ont toujours fait, pressentant que, sinon, elles laisseraient échapper une part de ce précieux cadeau qu'est leur vie. Chez nous, cette pratique, si elle est encore d'usage chez les adolescents ou les personnes âgées, se fait de plus en plus rare. On la considère désuète, astreignante, fastidieuse. Étaler sa vie privée et même intime sur un blog accessible à des inconnus apparaît bien plus exaltant comme si être reconnu par d'autres était ce qui donnait un sens à sa propre vie... Le journal n'est sans doute plus la forme d'expression la mieux adaptée à notre mode de vie actuel.

Le deuxième désavantage du journal est son caractère trop intime. À moins que vous ne cherchiez, comme le font encore certains couples japonais, à dire à l'autre (en faisant semblant de vous parler à vous) ce que vous souhaiteriez qu'il sache (les sentiments étant exposés mais les confrontations évitées), vous n'êtes jamais complètement à l'abri de regards indiscrets et vous vivez toujours avec l'angoisse d'être lu. Un journal peut prendre une place envahissante, non seulement matériellement, mais psychologiquement. Certaines personnes croulent littéralement sous le poids de toute une vie de carnets et journaux intimes et s'inquiètent moins de leur propre mort que du devenir de leurs précieux écrits.

Enfin, les journaux, au fil des années, finissent par devenir non seulement envahissants mais pénibles à relire. Or pourquoi les garder si on n'a pas envie de se relire ?

Que faire donc de ces journaux, si journaux il y a, et si vous sentez qu'ils vous pèsent? Il serait dommage de faire disparaître tant de parties de votre vécu; la solution pourrait être de reprendre ces écrits et de les éditer (supprimer certaines choses, en reformuler d'autres), d'en extraire le meilleur, la sagesse, et, à l'aide de listes, récrire votre vie sous une forme plus laconique, simple et aérée, avec des en-têtes : « Petits panoramas de mon existence », « Propos détachés », « Carnets de voyage », « Mésaventures », « Mes plus beaux souvenirs »..., le tout daté, classé, ordonné, consigné, comme dans les nombreux et minuscules tiroirs de ces commodes d'herboriste. Et délaissant le reste : considérations émotionnelles, exclamations, soupirs, pleurs... Faites le ménage dans vos écrits comme vous le feriez dans une maison si longtemps habitée que vous ne savez plus ce qu'elle recèle. Une maison qui contient tant de choses encombrantes, inutiles, stériles que vous n'avez même plus de place pour y vivre et y respirer.

Le fait de vous entraîner à relater les événements de votre vie personnelle sous un nouveau style pourra peut-être même vous aider à vous détacher de certaines choses, à ne plus leur accorder l'importance de drames ou de tragédies qu'elles revêtaient jusqu'alors. Vous vous allégerez de tout un encombrement mental et émotionnel, et saisirez l'essence de ce que l'existence vous a enseigné jusqu'à maintenant; cela vous permettra d'aller de l'avant. Évidemment ce travail vous remuera peut-être beaucoup, impliquera même quelques morts symboliques, mais, au bout du compte, c'est la vie qui est gagnante. L'art de bien la vivre, cette vie, est de tirer une leçon de ses expériences et de continuer son chemin. Faites de cette expérience de débroussaillage personnel une expérience stimulante et revigorante. Cette mise au point rendra également vos souvenirs plus clairs et accessibles.

La forme concise de la liste rendra votre travail de collecte de faits et de constatations beaucoup plus simple, facile, pratique et agréable. Les émotions, elles, se rattacheront d'elles-mêmes aux noms, aux lieux, aux événements. Elles sont ancrées en nous avec bien plus de profondeur que nous ne pouvons l'imaginer.

Les listes permettent de restructurer ses idées, d'avoir un panorama global de son existence. Elles aèrent le texte, améliorent sa visibilité, font de sa relecture un plaisir. De ce style laconique nous sont restés, entre autres, les merveilleux *Carnets 1936-1963* d'Ozu. Quand il notait sur une journée « Sieste », il se comprenait : « J'ai pris une bonne cuite hier. »

Ne pas laisser derrière soi des écrits trop intimes, mais garder trace de tous les cadeaux que nous offre l'existence, métamorphoser cela en l'œuvre de sa vie : voilà le compromis entre tenir un journal ou ne rien écrire.

Un passe-temps créatif pour tous

« Seul, je polis mes poèmes
Dans le jour qui s'attarde. »

Haïku de Kyoshi Takahama

Écrire le livre de sa vie sous forme de listes peut constituer la plus parfaite des collections, le plus accessible des passe-temps et représente une activité idéale et constructive, aussi riche, sinon plus, que les mots croisés, que l'on ait sept ou cent dix-sept ans.

Pour celui qui ne fait rien, la vie est ennuyeuse : il a l'impression qu'il ne vit pas. Oisiveté et ennui conduisent à un rétrécissement du temps. Dans l'ennui, le temps ne se remplit pas, il apparaît, avec le recul, comme étrangement court. Un temps pleinement vécu, au contraire, paraît infiniment long. La vie devient courte alors même que le temps devient long.

Nos listes prouvent que n'importe quelle vie peut être intéressante ou ennuyeuse, selon le degré de profondeur auquel elle est perçue. Les listes de la vie d'un reclus peuvent être fascinantes.

On ne s'ennuie jamais en faisant des listes

Dès que vous entrez dans l'intimité de votre propre vie, que vous en formulez définitions, idées, concepts... vous oubliez instantanément ce qui vous entoure, les circonstances extérieures, les vicissitudes du quotidien.

Passer ses moments de loisir à se constituer un corpus de notes de ses lectures, retranscrire certaines conversations, noter telle ou telle miette de connaissance, s'interroger sur l'esthétique et l'éthique d'une vie parfaite, se décrire l'idée exacte du bonheur, exiger, chercher, tenter de se mettre en accord avec ses plus hautes aspirations, tendre vers un absolu... cette activité est non seulement fascinante, mais constitue un ensemble d'activités mentales, spirituelles et artistiques auxquelles chacun peut prétendre ; des activités qui l'aident à s'élever et à dépasser ses propres limites. La vie nous tire si souvent vers le bas...

Se constituer des listes ne requiert aucun effort continu, aucun talent particulier, nulle contrainte d'avoir à suivre le fil de ses idées. Cela donne au contraire vie à ses pensées, à sa propre esthétique de l'existence. Cet ensemble de notes deviendra, jour après jour, notre propre bible de l'existence, le reflet de notre univers intérieur, un centre de repères qui pourront nous aider à retrouver cette unité, cette harmonie, ce sens tout simple de l'émerveillement que nous perdons peu à peu.

Faire des listes ou se rendre maître d'un trésor inépuisable et secret

La passion qu'ont certains pour les listes peut aussi s'expliquer par le désir de tendre à l'exhaustivité. Ils ont cette impression qu'enfin listé, le monde est envisageable, un peu mieux limité et « taillé » à leurs besoins. Tout leur apparaît un peu moins immensément démesuré, complexe, étrange, en un mot angoissant. Le monde et la vie leur appartiennent mieux.

Parce qu'un livre de listes contient notre vie, parce qu'il est la preuve de notre créativité, parce qu'il est écrit de notre propre main, il a une valeur inestimable. Plus il sera vieux et étoffé, plus il aura de valeur. Au-delà de dix ans, assurent les Japonais, il représente un trésor et les joies qu'il apporte sont incomparables.

Première partie

Les listes pour… se simplifier les mécaniques de l'ordinaire

Le temps c'est de l'argent

Les listes « Mes condensateurs de temps »

> « Chaque jour est un trésor... ne le comparez pas avec la perle brillante du dragon. Une perle de dragon, ça se trouve. Mais cette journée, même en cent ans, ne peut être reprise une fois qu'elle est perdue. »
>
> Maître Dogen, bonze zen (1200-1253)

Notre vie, ce sont les heures que nous possédons. Comment les utilisons-nous ?

Les listes font gagner du temps. Elles sont en quelque sorte des « condensateurs de temps », bien pratiques quand nous nous sentons dépassés par tout ce que nous devons ou désirons faire.

Les charmes de l'imprévu, de l'impromptu, cela existe, mais bien souvent il faut être organisé pour jouir pleinement de son temps et mettre à profit les multiples possibilités qui s'offrent à nous. Noter ce que l'on gagne et ce que l'on dépense permet d'opérer des ajustements, de réduire les dépenses qui ne nous apportent pas de valeur. De même, noter ce que l'on a à faire permet plus d'organisation et de choix conscients (comme beaucoup d'autres choses dans la vie, prendre conscience, c'est gagner la moitié de la lutte !).

Nous griffonnons, n'importe où, tout au long de la journée, au fur et à mesure de nos besoins, mille et un petits riens que notre rythme de vie effréné nous force à régler. Ces petits mémentos soulagent : on n'a plus à « se souvenir de... ». On coche les choses accomplies et ces petites cases cochées nous renvoient, en retour, la satisfaction du devoir accompli.

Pour ceux qui travaillent, bien sûr, noter par priorités les tâches à remplir dans la journée ou la semaine constitue un moyen efficace de mieux rentabiliser le temps. Faire des listes de ses tâches en début de journée, on le sait, aide à avancer de manière plus rentable. Chaque minute, des idées, des intentions surgissent dans notre esprit, telles de petites lampes rouges qui encombrent notre mémoire. Ce fonds permanent de préoccupations crée une légère angoisse qui dégrade notre qualité de vie. Pour éviter de « disjoncter », il est essentiel, surtout au travail, de trier ce qui est important et le reste. Quand vous ouvrez vos e-mails, ne passez au suivant que lorsque vous avez répondu au premier ou que vous l'avez jeté. Faites une liste d'actions à accomplir et cochez au fur et à mesure, même s'il s'agit de repassage ou de vous faire les ongles.

Ne remettez rien au lendemain. Outre le stress que produit toujours le fait de ne pas s'atteler à ce que l'on sait devoir accomplir, reporter à plus tard représente une fuite qui mène à l'échec. À l'inverse, se débarrasser d'une corvée est le meilleur moyen de l'oublier. Mieux : la sensation d'avoir surmonté une difficulté est un bon stimulant pour le moral. Si c'est l'ennui qui vous bloque, commencez par faire ce qui vous déplaît le plus. Si c'est l'ampleur de la tâche, fragmentez celle-ci.

Savoir qu'on a le contrôle de son temps apporte un allègement, un vrai soulagement. On se rassure : rien ne nous échappera. Se composer une liste de « À faire », c'est en quelque sorte déclarer officiellement toutes les tâches que l'on se donne à accomplir. Et les noter, étape par étape, aide. Plusieurs petites tâches sont moins impressionnantes, psychologiquement, qu'une grosse. Voilà l'un des atouts des listes.

Les personnes faisant preuve de créativité sont particulièrement compétentes en ce qui concerne l'organisation de leur vie, le choix de leurs activités, le bon « timing ». Cela, parce qu'elles sont sensibles à l'importance du rythme de la vie quotidienne, un rythme aussi important pour leur santé que pour leur productivité et leur efficacité. Pour elles, s'imposer un horaire n'est pas une contrainte. C'est être à l'écoute de son soi physiologique, hormonal et organique.

Faire des listes de ses activités suit le même principe : organiser son temps de façon à maximiser les expériences positives tout en vivant selon le mode qui nous convient. Le principe est de trouver ce qui correspond le mieux à nos besoins et de maximiser ainsi la qualité de notre vie.

Suggestion de listes à faire sur ce qui concerne le temps :

- Choses qui occupent la plupart de mon temps
- Moments que je m'accorde à moi-même
- Le temps que j'ai de jouir de mes biens et celui que je passe à les acquérir
- Mes voleurs de temps (coups de téléphone trop longs, surcharge d'informations...)
- Choses que je regrette d'avoir faites (perte de temps)
- Choses que je regrette de ne pas avoir faites
- Moments pendant lesquels je vis vraiment dans l'instant présent
- Moments pendant lesquels je ne suis pas dans l'instant présent
- Temps passé aux tâches ménagères, aux repas (y compris les courses, le rangement, la vaisselle)
- Temps passé au travail (y compris les heures de transport)
- Temps personnel (yoga, méditation, écriture...)
- Temps passé avec mes proches (y compris le courrier, le téléphone...)

Comment mieux profiter du temps qui passe

> « On ne peut oublier le temps qu'en s'en servant. »
>
> Baudelaire

Chaque « aujourd'hui » bien vécu transforme « hier » en un souvenir de bonheur.

Le travail sur le temps est un travail sur soi-même. Marcher sans but précis, simplement pour le plaisir de se sentir vivre, être étendu dans un pré à regarder les nuages, admirer l'eau d'une rivière, passer un dimanche après-midi enfoncé dans son fauteuil ou au fond de son lit à lire un roman policier, quoi de plus important ? Seul le fait de s'arrêter, de s'autoriser à être oisif, permet de recouvrer la relativité du temps, d'en sentir le flux, sans se faire contrôler par lui, sans laisser le mental figer la vie.

Certains rituels aident à se concentrer, à focaliser son attention, à faire le vide, à libérer les tensions intérieures et à retrouver une certaine assurance. Ils marquent toujours un avant et un après. Ils permettent aussi de passer d'une activité à une autre dans de meilleures conditions.

Pour mieux profiter du temps vous pouvez

Établir les priorités de la semaine

Prévoir les visites de bilan de santé, dentiste, coiffeur, ophtalmologiste, plusieurs mois à l'avance (ou seulement quelques jours si vous habitez dans certains pays...)

Vous procurer un maximum d'informations possible AVANT d'entreprendre un projet

Vous fixer des objectifs dans le temps (une semaine, un mois ?)

Toujours avoir à portée de main des listes claires et à jour

Vous débarrasser des corvées le samedi pour ne plus rien faire le dimanche (faire la liste de ces corvées)

Faire la grasse matinée les jours de congé

Prendre un vrai long bain (musique, bougies, parfums...)

Vous faire un vrai café le matin, griller des toasts et lire les journaux

Préparer vos menus à l'avance

Regrouper les tâches (achats dans un quartier, lettres à écrire, coups de fil à passer, visites à l'extérieur...)

Rire

Regarder la nature

Boire deux fois moins d'alcool en deux fois plus de temps

Faire de la cuisine au four

Vous coucher et vous lever plus tôt

Arriver en avance à vos rendez-vous

Faire des pique-niques quand le temps le permet

Aller marcher, juste pour le plaisir

Agir sans tarder (ce qui prend du temps, ce n'est pas de faire les choses, c'est de ne pas les faire)

Posséder le moins de choses possible (pour ne pas avoir constamment à stocker, nettoyer, protéger, assurer, et... se débarrasser !)

Ne passer du temps qu'avec ses véritables amis

Faire du sport seul (marche, jogging, yoga, au lieu d'aller dans un club de sport)

Zapper ses programmes de télévision

Parler moins longtemps au téléphone

Fixer des rendez-vous précis (date, heure, lieu...)

Ranger les choses après les avoir utilisées

Ne garder que les informations utiles

Porter des vêtements d'entretien facile et à assortir les uns aux autres (twin sets, ensembles veste pantalon, haut et bas de la même couleur...)

Apprendre à dire non (prendre des engagements avec soi-même)

À vous de compléter...

Suggestion de listes pour gagner du temps :

- Les raccourcis de clavier
- Mes sites préférés
- Adresses e-mail
- Codes secrets, mots de passe
- Coordonnées des services à contacter (résiliation de contrats, plaintes...)

Cinq façons de se déstresser quant aux fêtes de fin d'année

Novembre est le mois idéal pour commencer à se préoccuper des fêtes de fin d'année. Faites des listes. Si vous gardez les choses en tête, il faudra y revenir cent fois année après année. Avec vos listes, vous n'aurez besoin que de révisions.

Petits conseils d'organisation

Achetez vos cartes la première semaine de décembre. Les écrire assez tôt vous évitera de les bâcler et transformera cet acte en moment de plaisir.

Fixez un budget précis de ce que vous pouvez dépenser pour les fêtes : cadeaux, nourriture, décorations, invitations... Fixez-vous un chiffre rond, 500 ou 1 000 euros par exemple. Soyez réaliste. Cela vous évitera d'avoir à faire des calculs pénibles de carte bleue en janvier.

Allez faire vos achats tôt dans le mois pour éviter les foules; si possible achetez vos cadeaux pendant l'année (en voyage, à des ventes-expositions...) pour trouver des cadeaux originaux. Cela vous évitera aussi d'être tenté de faire des dépenses pour vous-même en ces périodes d'effervescence consumériste.

Dressez une liste d'idées cadeaux qui ne nécessitent pas d'aller dans un magasin; offrez des « bons-cadeaux ». Cela vous évitera les paquets-cadeaux à faire et tous les emballages. Essayez aussi de penser à des cadeaux utiles, correspondant aux besoins réels de la personne, des cadeaux « minimalistes », intelligents, non matériels (une séance de massage ou des soins en institut, un stage de dégustation si la personne aime le vin, un forfait d'entrées au cinéma, l'abonnement à un magazine, une somme d'argent pour aller chez le coiffeur pendant un an, un voyage en montgolfière...). Faites des cadeaux qui permettent réellement d'élargir l'horizon de la personne ou qui lui permettront de cultiver ses goûts et ses passions. Pourquoi ne pas offrir à un ou une célibataire une invitation dans une soirée « rencontres » ?

Faites de la décoration de la maison une activité commune. Réunissez toute la famille (un week-end, par exemple); cela deviendra peut-être un des meilleurs souvenirs de la saison.

Faites de la cuisine simple. Tout sera vite mangé dans l'euphorie, de toute façon.

Prévoyez une caisse de bonnes bouteilles pour toujours avoir quelque chose à offrir quand vous êtes invité à la dernière minute.

Ayez un carton avec des petits cadeaux déjà prêts à offrir pour remercier un voisin, récompenser un enfant... (les vieilles Japonaises ont toujours dans leur sac un petit cadeau dans son emballage à offrir à quelque inconnu qui leur a rendu service : un mouchoir, un petit paquet de thé vert, un éventail, un biscuit, un porte-clés...).

Ayez une grosse boîte de correspondance avec de beaux papiers à lettres, des cartes postales, des cartes d'anniversaire, des timbres, des articles ou des photos à envoyer, des enveloppes de différents formats, un feutre, du Scotch, de petits papiers recyclés pour emballer quelque chose...

Suggestion de listes à faire :

- Cartes de vœux à envoyer
- Cartes de vœux reçues
- Budget pour les fêtes (dîners, sorties, cadeaux, courrier...)
- Résolutions pour la nouvelle année

Les « Listes cadeaux »

Est-il façon plus simple que de noter ce que l'on vous offre et ce que vous offrez ! Gardez sous forme de « Listes cadeaux » les totems de tant d'amour et d'amitié !

Suggestion de listes :

- Cadeaux reçus (date, descriptif exact du contenu)
- Cadeaux offerts (date, prix, descriptif exact du contenu)
- Fêtes à souhaiter dans l'année
- Idées de cadeaux à faire
- Idées de cadeaux à se faire offrir
- Idées d'emballages originaux et personnalisés

Tenir ses comptes à jour : mon *kakebo*

« Un homme qui s'habitue à acheter des futilités est souvent un homme dans le besoin. »

Hannah Farnham Lee, *Three Experiments of Living*

La plus connue, la plus tenue, vue et revue, lue et relue, est probablement la liste de nos comptes et finances. Qui peut dire n'en avoir jamais fait une ?

Au Japon, cette habitude s'acquiert dès la maternelle : on enseigne aux enfants, dès qu'ils savent compter, à tenir un petit livre de comptes et chacun doit apporter à l'école une somme modique d'argent qui sera son argent de poche et qu'il devra apprendre à gérer, en notant minutieusement ce qu'il a dépensé, combien il lui reste et ce qu'il doit faire s'il lui reste très peu. Cela aurait-il contribué au succès économique du pays ?

Bon nombre de ménagères japonaises dignes de ce nom tiennent avec le plus grand sérieux un kakebo (livre de comptes) dans lequel elles inscrivent, au jour le jour, non seulement leurs sorties et entrées d'argent, mais des recettes de cuisine vues à la télévision (un espace spécial est prévu à cet effet sur la double page de la semaine), leurs disputes conjugales (pour donner des faits nets et précis lors de conflits, ces traces faisant office de preuves légales en cas de divorce !), les visites chez le médecin (excellent moyen de garder trace de l'évolution de certaines maladies), chez le coiffeur, les cadeaux reçus ou faits, etc. Elles notent, sous le format d'« Une semaine sur deux pages », tout dans les moindres détails, avec, à la fin de chaque semaine, un récapitulatif hebdomadaire, puis, à la fin de chaque mois, un récapitulatif mensuel, et enfin, un récapitulatif annuel. Elles planifient ainsi le budget intégral de la famille, économisent pour les études (payantes) et la cérémonie de mariage des enfants, les loisirs, la retraite du couple... Le kakebo leur apporte le meilleur contrôle possible de leur vie matérielle, maritale, familiale et sociale, mais aussi de la manière de gérer leur temps, de s'octroyer de vrais moments de loisirs et de participer, mine de rien, au succès économique du pays. Elles affirment d'ailleurs qu'en tenant un kakebo, elles réalisent au moins dix pour cent d'économies sur leurs dépenses.

Pour ces parfaites ménagères, ni l'argent ni le temps ne sont des commodités dont on peut user ou abuser à son gré, pas plus que la question de faire des listes ou pas. Gérer l'argent, le temps, le quotidien est leur devoir d'épouses, une activité à part entière et une éthique. Mais du temps où tout était rare et la vie rude, nos aïeules ne faisaient-elles pas la même chose ?

Suggestion de listes pour mieux et moins dépenser :

- Les choses que j'achète et dont, je le sais, je n'ai pourtant pas besoin
- Les dépenses que j'aurai à faire dans les douze prochains mois
- Mes achats extravagants les plus mémorables
- Mes rentrées et sorties d'argent (inclure les sommes destinées à l'épargne dans les sorties)
- Ce que j'ai envie d'acheter
- Ce dont j'ai besoin
- Mes envies d'un instant (à inscrire par exemple sur le dos d'un ticket de caisse avec le prix et le nom du magasin, et à garder dans un porte-monnaie. L'envie passera probablement dès qu'en surgira une autre)

La cuisine, l'alimentation

Les recettes et « trucs » de cuisine

« Flétan des grands froids
Qu'avec mes baguettes
Miette par miette j'ai dévoré. »
Haïku de Kusama Tokihiko

Listes de courses à faire, de menus, de recettes... chaque femme en a, dans sa vie, dressé des centaines, des milliers. Avoir sa liste de recettes déjà expérimentées, améliorées et appréciées dans un carnet réservé à cet effet évite d'avoir à chercher dans tous ces livres encombrants et lourds contenant plus de photos que de texte, et peu de recettes qui nous intéressent.

Dans le temps, nos grand-mères possédaient leurs propres cahiers et ceux-ci, légués à leurs enfants, représentaient une relique inestimable, non seulement pour ce qu'ils contenaient mais pour tout ce qu'ils léguaient d'émotions, de souvenirs et d'amour.

Je ne possède personnellement pas de livre de recettes, mais j'ai dans mon carnet à anneaux une section « Recettes » regroupant mes plats préférés, les recettes reçues de ma mère, de ma sœur ou de mes amis, ainsi que des recettes inventées par moi ; quand je veux innover, je consulte Internet ou je téléphone à ma mère ou à mes amies. Mes recettes sont classées en « Plats de consistance », « Amuse-gueule », « Desserts », « Maman », « Chiyo » (une amie japonaise excellente cuisinière)... et elles portent le nom et la date de ceux qui me les ont transmises : « Les udon au gobo de Catherine, Oakwood, 2005 », « La soupe aux pois cassés de John, neige à Bronxville, 2003 » et je pense à ces personnes et aux moments partagés quand elles me les cuisinaient.

Sont inclus également une charte des calories, un tableau des équivalences pour les poids et mesures et enfin une liste de quelques « Trucs de cuisine » que j'ai tendance à oublier, mais qui me sont très utiles en certaines occasions (par exemple faire une entaille de 1 millimètre autour des pommes de terre avant leur cuisson, puis, une fois cuites, les plonger dans un saladier d'eau additionnée de glaçons pour les peler en un quart de seconde ; ou bien malaxer la viande dans de la maïzena pour la rendre plus tendre).

Suggestion de listes « Idées de repas » :

- Les repas en solitaire
- Les repas TV
- Les repas en amoureux
- Les repas de famille
- Les repas entre amis
- Les repas de fête
- Les repas de réception
- Les repas dînatoires
- Le *o'clock tea*
- Les repas du dimanche soir
- Les repas préparés en dix minutes
- Les pique-niques
- Les repas dans le jardin
- La boîte repas
- Les repas diététiques
- Les repas du malade (après une indigestion, une crise de foie...)
- Les repas des jours de pluie

De quoi faire un repas improvisé

Il faudrait toujours avoir de quoi faire un ou deux repas improvisés (légumes au congélateur, conserves...) en cas d'invités, de migraine ou de pluies diluviennes. Une liste de ces repas aide à avoir de quoi préparer un plat, mais aussi un repas complet : soupe ou entrée, fromage, pain et dessert. Il est toujours utile, même si nous leur faisons rarement appel, d'avoir le numéro de téléphone et la carte des menus de traiteurs à domicile.

Mes carnets gastronomiques

« Sous les fleurs d'un monde flottant
Avec mon riz brun et mon saké blanc. »
Haïku de Matsuo Basho

Mon Almanach du gourmet

Pourquoi ne pas vous constituer un « Almanach du gourmet », selon un calendrier détaillé mois par mois, avec les légumes et fruits de saison, les plats appropriés au temps qu'il fait (des crêpes et du cidre un soir de pluie...) ?

Une liste m'est toujours restée : celle d'une épouse japonaise qui avait noté, repas après repas, année après année, tout ce qu'elle avait préparé à son mari pendant les soixante années de leur vie commune, prenant en compte, pour chaque repas, sa condition physique et son âge et adaptant ses menus aux exigences de son corps et à ses changements. Cette liste avait à elle seule fait le thème d'une émission télévisée sur la chaîne nationale, étant présentée comme le guide parfait de la nourriture en tant que preuve d'amour et modèle de diététique.

« Un mets, une boisson » : mes duos favoris

Vous pouvez vous amuser à dresser une liste de vos combinaisons favorites, « Un mets, une boisson », de ces choses qui se marient à merveille. Cette liste vous aidera à ne pas manger n'importe quoi n'importe comment, mais à ne vous offrir que ce que vous aimez vraiment. Plus ces choix seront sûrs, plus ils vous apporteront non seulement le plaisir de les déguster mais aussi de les anticiper et de ne rien accepter d'autre. En connaissant véritablement ses goûts on est plus fort pour refuser ce qui ne nous satisfait que moyennement. La liste de vos « mariages » favoris comme un darjeeling et des scones, une bière et des moules, un verre de champagne et un œuf à la coque, un bordeaux et son bocal de foie gras, est une forme de créativité. Pourquoi ne pas noter ces plaisirs sous forme de haïkus en ajoutant à ceux-ci l'ambiance la mieux appropriée (musique, lieu, lumière, occasion, personne partageant ce plaisir avec vous...) ?

Mes souvenirs gastronomiques

Quel dommage de laisser perdre le souvenir de certains repas... Nous ne notons généralement pas ce que nous avons mangé même si nous tenons un journal, et pourtant certains repas font partie des grands moments de la vie. Noter le lieu, les mets et les vins, les personnes présentes peut, des années plus tard, raviver un de ces moments exceptionnels de notre vie.

Mes restaurants préférés et les promenades qui s'ensuivent

Ayez toujours quelques numéros de téléphone de restaurants pour réserver. Pensez à la promenade qui pourra s'ensuivre. Restaurant et promenade apéritive et/ou digestive devraient toujours aller de pair. On pourrait décupler tant des plaisirs avec un peu d'imagination et en en prenant le temps...

Cafés, bars, clubs, salons de thé, caves de dégustation

Ces endroits portent souvent des noms amusants ou élégants. Ils font partie de vous, maintenant que vous les avez visités. Bistrots de Paris, bars de grands et luxueux hôtels de New York, buvettes de plages tropicales... cette liste peut constituer une collection de souvenirs très originale et moins agaçante que celle de ces petites boîtes d'allumettes qui ont perdu tout leur charme, une fois sorties de leur décor. Vous pouvez y ajouter, pour un peu plus de « zeste », le nom de la bière blanche ou du chocolat noir que vous y avez à loisir savouré, ainsi que la ou les personnes ayant partagé ces instants (même un inconnu !).

Mes produits gastronomiques préférés

Vous pouvez noter dans cette liste le nom des meilleures huiles d'olive qu'on trouve sur le marché, celui d'un jambon goûté chez des amis..., ainsi que les adresses de commerces spécialisés, boulangeries renommées dont vous lisez l'éloge dans un magazine. Mieux vaut acheter peu et de la meilleure qualité que beaucoup et bon marché ; mais pour cela, encore faut-il être connaisseur... De telles adresses sont aussi fort utiles lorsqu'on veut faire un cadeau à quelqu'un. Toutefois, acheter les meilleurs produits n'empêche pas de rechercher aussi les produits basiques au meilleur prix. Ce qui permet d'allier gastronomie et économie.

Bacchus et ses plaisirs

Liste de vins appréciés, où, quand, avec qui... Un ami japonais notait ses impressions sur chaque vin en les comparant à des femmes célèbres ou connues de lui.

Les menus de mes réceptions

Cela évite de servir deux fois la même chose à ses convives et donne des idées pour d'autres invités. Les repas auxquels on a été invité peuvent aussi nous inspirer pour composer nos prochains repas... Au Japon, il n'est pas rare de recevoir, dans une auberge traditionnelle (le *ryokan*), au début d'un repas (toujours unique dans ces auberges), un petit feuillet sur lequel est imprimé le menu du repas que l'on va vous servir. Quelle belle coutume ! Non seulement ces petits feuillets permettent de se souvenir de ce que l'on a mangé, du nom original de chaque plat, mais ils ont également l'avantage de nous laisser évaluer, selon notre appétit, ce que l'on veut abandonner dans son assiette pour pouvoir honorer le plat suivant. Pourquoi ne pas, vous aussi, déposer sur l'assiette de vos invités le menu que vous leur avez préparé, leur précisant qu'ils ne sont pas obligés de tout manger ? Avant une cérémonie du thé japonaise, le maître invite ses hôtes par une très belle lettre calligraphiée, commençant par évoquer le temps ou la saison, puis indiquant la liste des personnes conviées, l'heure du rendez-vous et enfin le menu prévu. Ces lettres, écrites dans le style de l'ancien Japon, sont parfois de véritables œuvres d'art. Ce sont de tels détails de prévenance et de délicatesse qui perpétuent la grandeur d'un peuple.

Suggestion de listes à faire dans « Mes carnets gastronomiques » :

- Idées de repas improvisés et les ingrédients qui se conservent
- Liste de traiteurs à domicile
- Repas « régime spécial », classés selon les problèmes médicaux à surveiller (diabète, cholestérol, problèmes cardiaques...)
- « Festivités épicuriennes » (noter le genre de musique, de vaisselle, de boisson, de lumière accompagnant tel ou tel mets)
- Mes « Duos du plaisir »
- Mes meilleurs souvenirs gastronomiques
- Mes restaurants préférés, avec les promenades qui s'y marient
- Bars, bistrots, salons de thé, caves de dégustation
- Mes produits gastronomiques préférés
- Bacchus et ses plaisirs
- Menus de mes réceptions

Les listes « Santé, régimes, beauté »

Le « carnet de santé »

> « Votre corps est le véhicule qui vous transporte à travers la vie. Vous n'en aurez pas d'autre ici-bas. Aimez-le, respectez-le, chérissez-le et traitez-le bien. Il vous le rendra au centuple. »
>
> Suzy Prudden [1]

Les recettes de cuisine, tout le monde, en principe, en a. Mais combien d'entre nous notent avec minutie tout ce qui concerne leur santé et leur bien-être dans un « Carnet de santé » ? Traquer ses petites faiblesses, les noter, les lire et les relire permettent à l'inconscient de se conditionner et d'envoyer un signal d'alarme lorsqu'on s'oublie ou qu'on se laisse aller.

Cette pratique est également très utile pour déceler le début de certains maux ou indiquer avec précision

---

1. Célèbre coach et auteur américaine de remise en forme physique.

à son médecin comment et quand les symptômes sont apparus. Vous pouvez aussi avoir votre liste de recettes « maison » pour soigner un rhume, une indigestion, un ulcère, un mal de gorge.

Suggestion de listes « Bien-être » à faire sur :

- Les maladies dont j'ai souffert (date, symptômes, durée)
- Les opérations que j'ai subies
- Les médicaments que j'ai pris dans le passé
- Les médicaments que je prends actuellement
- Les causes de mes problèmes de santé
- Ce que je pourrais faire pour améliorer ma santé et que je ne fais pas
- Les vertus des aliments (par type)
- Mes biorythmes (à quelle heure j'ai faim, sommeil, j'éprouve un coup de fatigue...)
- Les façons dont j'ai abusé de mon corps
- Les choses que j'aurais dû arrêter de manger depuis longtemps et que je continue pourtant à manger
- Les choses dont j'ai vraiment besoin pour rester au meilleur de ma forme
- Quels repas faire
- Quels horaires respecter
- Quels principes me fixer
- Les différents traitements, cures et thérapies, que j'ai suivis
- Mes recettes santé, maladie, bobos
- Noms et adresses des médecins, cliniques dans lesquelles j'ai été traité
- Les aliments qui donnent du cholestérol
- Les aliments qui sont mauvais pour le diabète
- Les aliments considérés excellents pour certains types de maladies

Listes de dialogues entre moi et mon corps

> « Mange moins de viande et plus de légumes
> Prends moins de sel et plus de vinaigre
> Consomme moins de sucre et plus de fruits
> Prends de petites bouchées et mâche lentement
> Vêts-toi légèrement et prends souvent des bains
> Évite le bavardage et tiens-toi à un apprentissage régulier
> Contrôle tes désirs et complimente les autres
> Évite les soucis et dors profondément
> Ne prends pas ta voiture mais marche
> Ne te mets pas en colère et souris tout le temps »
>
> Mots imprimés sur une vieille tasse
> à thé japonaise

Les listes peuvent nous aider à découvrir les causes psychologiques d'une maladie et même en changer le cours. Faire des listes de dialogues avec son corps aide à mieux comprendre le rôle que l'on a vis-à-vis de ses maux. Celui-là nous envoie des messages chaque fois qu'il a besoin d'attention. Prendre conscience de ces messages aide à se décider à agir pour pallier le mal. Demandez à ces messagers de vous dire ce qui ne va pas, acceptez de les écouter, de leur prêter attention. Tout ce qu'ils veulent, c'est que vous sortiez de votre passivité, de votre manque de responsabilité envers votre corps. Vous pouvez par exemple, dans une liste à deux colonnes, entreprendre un dialogue avec le moi mince qui est en vous, lui demander les raisons pour lesquelles il s'est ainsi laissé piéger par la graisse. Demandez-lui de vous aider à le libérer, à le faire sortir de sa prison. Essayez de rester en contact avec lui aussi souvent que possible. La liste de ces dialogues vous aidera, elle agira comme votre messager.

Vous garderez ce texte écrit sur vous, créant ainsi, par votre lien matériel à lui, une relation étroite entre le pouvoir des mots qu'il contient et votre subconscient.

Vous pouvez aussi faire ce type de « listes-dialogues » pour mieux comprendre vos problèmes avec l'alcool, le tabac, la drogue, ou toute autre forme de dépendance, même la fatigue. La fatigue est souvent le symptôme que nous évitons quelque chose en nous qui nous dérange ou qui nous tracasse. Plutôt que de verser dans l'inertie, mettez-vous à faire une liste de dialogues entre vous et votre fatigue. Vous arriverez ainsi à décrypter tout ce qui ne va pas en vous (mal de dos, apathie, léthargie...).

Suggestion de listes-dialogues à faire avec son corps :

- Dialogue entre mon moi mince et celui qui m'emprisonne
- Dialogue entre le moi qui ne prenait pas d'alcool (tabac, drogues...) et celui qui est dépendant maintenant
- Dialogue entre le moi en bonne santé et le moi malade
- Dialogue entre moi et ma fatigue

Le carnet « Minceur »

« Une part suffit
Je lave mon riz. »

Haïku de Santoka Taneda

Il existe des centaines de livres sur les régimes, la minceur, les repas diététiques, les conseils de psychologues, alors pourquoi ne pas vous constituer un vrai dossier personnalisé, votre propre carnet « Minceur » pour savoir ce qui marche pour vous ? Ce type de démarche est votre meilleur coach. Que mangez-vous ? Quand ? Où ? En quelle quantité ? Dans quel état d'esprit ?

Noter son poids, faire la liste de ce que l'on mange ont les mêmes effets positifs que la liste de ses dépenses financières.

Est-ce que se fixer un but est vraiment efficace ? La plupart des gens veulent perdre du poids, et ils sont déçus quand ils n'y arrivent pas. Nommer ses désirs ne suffit pas. Il faut spécifier ce que l'on veut exactement. L'écriture positive contribue à favoriser seulement l'arrivée d'une nouvelle réalité si vous y êtes préparé, et c'est déjà beaucoup. Mais ce genre d'écriture exige précision et concentration. Vous devez être rigoureux dans le choix des mots destinés à exprimer votre pensée ou votre souhait en toute conscience. Si vous écrivez : « Je veux qu'à partir de maintenant tout aille mieux pour moi », il est probable que rien ne s'améliorera. Ce *tout* est bien trop vague. Votre inconscient ne sait interpréter une telle demande. Soyez plus précis : « Je veux ne plus manger de... (donner un exemple) ; je veux perdre 10 kilos ; je veux faire une marche de 10 kilomètres trois fois par semaine. »

Les objectifs doivent être mesurables : combien de kilos est-ce que je veux perdre exactement ? Dans quels délais ? Par quels moyens (repas, visualisations, exercices...) ? Si tout cela est écrit, vos objectifs influenceront votre subconscient, surtout si vous relisez régulièrement votre carnet.

Vos buts doivent être réalistes. Sinon, ils seront voués à l'échec. Faites la liste de vos motivations. Ne vous fixez que des buts qui dépendent de vous et que vous considérez comme personnels. Faites-les suivre par des actions. Une action en appellera une autre. Tout ce que vous aurez écrit de votre main, dans votre propre carnet, aura beaucoup plus de poids que n'importe quel écrit imprimé. Faire des listes est le premier pas pour se prendre réellement en charge. Aucun médecin ne peut vous faire maigrir : il ne peut que vous conseiller.

Établissez votre propre programme d'amaigrissement en dressant la liste des conseils de votre médecin, de vos amis, de vos lectures...

Cette liste vous permettra de comparer les techniques, de remarquer les contradictions, et de faire vous-même la part des choses. Ce qu'une diététicienne vous dirait, vous le savez probablement déjà. Les listes, elles, sont vos meilleures alliées. Noter quotidiennement son poids ou pas peut engendrer une énorme différence dans le comportement alimentaire. Voici une liste de suggestions de thèmes, mais c'est à vous de composer votre propre liste « Spécial minceur ».

Suggestion de listes à faire dans un carnet « Minceur » :

- Mon poids sur un calendrier indiquant les phases de la lune (la lune, de par ses influences électromagnétiques, change tout dans la nature : les marées, le temps qui devient souvent pluvieux, les séismes...)
- Mes dépenses en produits diététiques et régimes amaigrissants
- Mes plats diététiques préférés
- Mes recettes par saison
- Les régimes essayés jusqu'alors
- Mes erreurs alimentaires
- Mes motivations pour maigrir
- Mon image idéale (décrite avec autant de détails que possible : coiffure, maquillage, accessoires, couleurs, vêtements...)
- Les choses que j'aimerais changer quant à mon apparence
- La charte des calories
- Les inconvénients des kilos en trop
- Les moyens que j'ai l'intention de me donner pour maigrir
- Les régimes et pratiques dangereux pour la santé (se faire vomir, faire des jeûnes sans préparation et technique, se lancer dans des monodiètes...)
- Les raisons pour lesquelles je mange quand je n'ai pas faim
- Ma façon de me nourrir lorsque j'étais enfant
- Les épreuves auxquelles je dois m'attendre (ne pas me laisser décourager par ces « plateaux » qui ne font pas perdre un gramme pendant quelques semaines. Ne pas oublier que le corps doit s'habituer à son nouveau poids)
- Les visualisations qui ont de l'effet sur moi pour mincir
- Mes angoisses liées à la nourriture
- Mes obsessions

Les « Exercices physiques sous forme de croquis »

J'ai eu l'heureuse surprise, récemment, de découvrir, dans un livre de yoga, pliée et cachée dans la couverture, une grande feuille de papier A3, récapitulant, sous forme de croquis, l'enchaînement complet des poses expliquées dans l'ouvrage.

Cela m'a donné l'idée de me confectionner, à l'aide de photocopies « copiées-collées », diverses listes de croquis similaires pour d'autres types d'exercices. Ces listes de croquis, pliées en huit, sont exactement de la même taille que les feuilles de mon *organizer*. Mémos bien utiles, après quelques mois de laisser-aller... et qui, désormais, ont leur place à côté de toutes mes autres listes ! Même si je ne fais pas ma « salutation au Soleil » ni celle à la Lune pendant hum, hum... plusieurs semaines, je sais au moins où les retrouver... les voir ainsi toujours pliées me rappelle honteusement ma paresse !

Suggestion de listes d'exercices physiques sous forme de croquis :

- Enchaînements de yoga
- Mouvements kinesthésiques (à faire pendant les transports, devant son ordinateur, en faisant la cuisine...)
- Massages du visage (à faire lorsqu'on fait ses soins de peau)
- Massages du crâne (à faire lorsqu'on se fait un shampoing)

- Massages à se faire en regardant la TV
- Exercices physiques faisables en regardant la TV, en téléphonant, en étendant le linge...
- Exercices de maintien

Les listes « Mes secrets de beauté »

Combien de conseils pourrait-on oublier sans cette liste ! Masques de beauté faits maison, mini-jeûnes de désintoxication au début de chaque saison (une journée de raisin au début de l'automne)... Vous pouvez vous créer un véritable guide personnel de tout ce qui vous semble efficace, agréable et fiable (conseils de proches, de votre professeur de yoga ou de danse...).

Ces listes peuvent elles aussi servir d'excellent complément à un programme régime. Maigrir, c'est bien, maigrir en beauté, c'est encore mieux.

Suggestion de listes « Secrets de beauté » :

- Soins de la peau
- Soins des cheveux
- Soins des ongles
- Soins du corps
- Les vertus de l'eau
- Aliments et boissons « Spécial beauté »

Les listes de la Fée du logis

La routine domestique

> « Seiri (débarras)
> Seiton (rangement)
> Seiso (nettoyage)
> Seiketsu (ordre)
> Shitsuke (rigueur) »
>
> Méthode japonaise des cinq « S »

Développer une routine domestique aide à tenir sa maison. Fixez-vous une petite corvée à remplir chaque jour au lieu de faire de grosses corvées par à-coups. Si vous avez une liste de tâches à accomplir quotidiennement, vous ne serez plus perdue à vous demander ce que vous devez faire, quand et où, ou à laisser le désordre s'installer au gré de vos humeurs. Ce sont vos humeurs, elles, qui en souffriraient ! De plus, se fixer une méthode selon laquelle agir dans un certain ordre évite de se laisser distraire, d'avoir l'impression que tout n'est pas bien fait, que l'on a oublié quelque chose, et qu'on aurait pu faire plus.

Suivre une routine, s'appliquer à en exécuter toutes les étapes, une par une et sachant qu'il y aura un beau résultat à la fin, peuvent faire du ménage une sorte de jeu, de rituel et apporter la satisfaction du devoir accompli sans se poser de questions.

Pourquoi ne pas vous constituer une routine « Ménage quotidien en 5 étapes de 15 minutes » ? 15 minutes par tâche : passer l'aspirateur, le chiffon sur les meubles, l'éponge sur les sanitaires... (Méfiez-vous : les endroits qui demandent le plus de temps ne sont pas ceux qui sont les plus spacieux mais les plus utilisés, à savoir la cuisine, la salle de bains et les toilettes).

Faites une liste de toutes les tâches ménagères à accomplir par pièce. Cela vous aidera psychologiquement. On a tellement plus d'énergie dans un endroit net et rangé ! Le ménage n'est jamais du temps perdu, quoi qu'en pensent beaucoup de gens. Vous pouvez aussi vous constituer une liste de « comment... », comme celle de vos recettes de cuisine. Il y a des solutions à tout et à peu de frais et d'efforts, à condition d'en connaître les secrets. Ou de s'en souvenir...

Par exemple, comment...

Désodoriser le réfrigérateur
Nettoyer un canapé
Éloigner les fourmis
Utiliser des alternatives écologiques aux produits d'entretien

Liste de la routine domestique en 15 étapes de 15 minutes

1. Ranger la pièce (enlever ce qui traîne; on devrait toujours commencer son ménage par du rangement)
2. Ouvrir fenêtres et rideaux pour aérer
3. Recharger le mobile
4. Mettre le linge sale au panier
5. Mettre la lessive en route
6. Vider les poubelles
7. Faire la vaisselle
8. Nettoyer les WC et la salle de bains
9. Faire le lit
10. Retaper les coussins
11. Balayer et/ou passer l'aspirateur
12. Arroser les plantes et changez l'eau des fleurs
13. Essuyer la table et les surfaces souvent utilisées
14. Regarder ce qui reste dans le réfrigérateur pour le dîner
15. Composer la liste des courses et des choses à faire

Liste de la routine domestique hebdomadaire

Changer les couettes et les draps (ranger par « sets » : draps, taies d'oreiller, etc.)

Passer l'aspirateur sur les tapis et les moquettes

Passer la toile dans la cuisine, les WC et la salle de bains

Désinfecter les toilettes (avoir des gants réservés à cet usage)

Vérifier qu'il y a assez de vêtements et de sous-vêtements propres pour la semaine (le cycle d'entretien doit être constant)

Passer si nécessaire une commande sur Internet pour une livraison de provisions lourdes (boissons, pommes de terre, farines..., tous les aliments industriels, produits ménagers...)

Remplir le frigo pour une semaine (pas plus)

Repasser

Liste de la routine domestique mensuelle

Essuyer, dépoussiérer et tout faire briller, du sol au plafond

Laver les vitres

Encaustiquer les meubles. Cela sentira bon et protégera le bois

Aspirer ou balayer sous les meubles, les lits, le canapé

Éliminer les denrées périmées du réfrigérateur, des placards de cuisine et de salle de bains, jeter les journaux, les magazines, le courrier lu...

Nettoyer le four

Valser avec un chiffon à la main et vérifier qu'il n'y a pas de toiles d'araignées dans les coins des plafonds

Retourner les matelas des lits

Nettoyer tout le linge de maison

Nettoyer les poignées et les embrasures des portes et des fenêtres (c'est là que la poussière s'accumule le plus), les plinthes

Liste de la routine domestique annuelle « grand blanc »

Faire nettoyer duvets, couvertures et rideaux au pressing

Enlever les voilages pour les laver

Faire un grand tri ou, si vous le pouvez, commander un service de nettoyage professionnel pour une journée et... aller se promener.

Suggestion de listes de la « Fée du logis » :

- Liste des « Comment faire... »
- Mes routines de ménage journalières
- Mes routines de ménage hebdomadaires
- Mes routines de ménage mensuelles
- Mes routines de ménage annuelles
- La liste des tâches à confier à...

Les numéros de téléphone à avoir sous la main

Urgences

Votre médecin
SOS Médecins, urgences médicales, urgences pédiatriques...
Le Samu
Les pompiers
La police
Le gardien de votre immeuble

Les membres de votre famille
Trois amis ou voisins habitant à proximité
Le dentiste
Une compagnie de taxis

Informations et renseignements

Un numéro des renseignements
La mairie
Les gares routières, aéroports de votre région

Pratique

Le coiffeur
Une couturière ou une retoucheuse
Le cordonnier
Un fleuriste
Un vétérinaire
Un service de traiteur à domicile
Quelques hôtels ou restaurants pour aller dîner
Un service de transports de porte à porte
Un service de nettoyage
Le service des encombrants de la mairie
Un ramoneur
Un chauffagiste
Un technicien en informatique
L'électricien
Le plombier
Le serrurier (numéro à garder aussi dans son sac à main !)
Le charpentier

Les listes fixes et provisoires

On peut faire virtuellement des listes de tout : listes de commissions, des fêtes à souhaiter, des plantations dans son jardin... Mais si certaines doivent être établies à chaque utilisation (choses à faire, courses...), d'autres peuvent resservir plusieurs fois et on peut même les améliorer, les peaufiner, comme, par exemple, la liste de ce qu'il faut emporter en voyage. Vous pouvez emporter cette liste avec vous et l'améliorer au fur et à mesure de vos expériences, en notant par exemple ce qui n'a pas été utilisé ou ce qui vous a manqué. Gardez cette liste dans votre valise. Elle vous aidera la prochaine fois que vous partirez.

Suggestion de listes à conserver :

- Les choses à emporter en voyage
- Les choses à emporter en week-end
- Les choses à emporter à la piscine, au club de sport
- Les choses à emporter en pique-nique, en camping
- Les objets et meubles de sa maison (avec des photos et si possible les reçus : cela peut être très utile en cas d'infraction, de dégâts...)
- Les choses à faire faire à chaque membre de la famille dans la maison
- Ses DVD numérotés avec leur contenu
- Ses programmes de TV préférés (numéro de la chaîne, horaires) à conserver près de son téléviseur
- Les listes de services à domicile (à garder près du téléphone) et des numéros pour appels en urgence

Les listes « Escapades »

Prévoir pour mieux voyager

> « En haut des cocotiers
> Aurore de printemps
> Où mon cœur voyage. »
>
> Haïku d'Oguma Kazunda

Fatigué, on n'est plus capable de faire appel à notre entrain habituel pour organiser quoi que ce soit ; or c'est là qu'on a le plus besoin de partir se reposer. Avoir une petite liste d'escapades déjà toutes prêtes (numéros de téléphone de l'hôtel, l'auberge de campagne à réserver, l'itinéraire pour s'y rendre, les lieux à visiter et les activités proposées sur place, le prix...) peut être parfois d'un précieux secours. Même le numéro de téléphone de quelque petit hôtel de charme dans Paris peut offrir une alternative rafraîchissante à un besoin de changement. Collectionnez les informations pour d'éventuelles escapades et faites des projets pour la réalisation de celles-ci. Si vous voulez aller à Rome, préparez un dossier intitulé

« Rome ». Collectionnez les informations nécessaires à un départ de dernière minute. Vous pouvez aussi préparer un petit voyage surprise pour votre partenaire, un parent, un ami. Si vous lui dites que tout est déjà planifié, il ou elle se laissera peut-être plus facilement tenter. Les listes « Escapades » font le plus grand bien au moral : en ouvrant des perspectives d'avenir, elles aident à supporter le présent.

Suggestion de listes « Escapades » :

- Week-ends ou voyages escapades
- Les amis qui m'ont invité à aller les voir
- Les recherches à entreprendre pour aller à tel ou tel endroit

Tous mes préparatifs de voyage

Quel que soit le voyage, petit ou grand, cela ne change rien : faites une liste de tout ce que vous devez faire et emporter avant de partir. Une bonne liste, fiable, donne une tranquillité d'esprit et une sérénité qui laissent toute la place aux joies du départ.

Vous pouvez faire des listes types pour chaque type de départ : week-end d'hiver, d'été, vacances à la montagne, à la mer, voyage dans les pays chauds, les pays froids, voyage d'affaires... et garder ces listes que vous réajusterez au fur et à mesure des (« J'aurais dû emporter ceci, ne pas prendre cela... »). On ne fait jamais de première liste parfaite.

Liste type pour un long voyage

1. La maison
   Fermer l'eau, le gaz, l'électricité
   Vider et débrancher le réfrigérateur
   Vider les ordures
   Vérifier le congélateur (le vider si vous partez pour longtemps. Une panne de courant due à un orage peut être catastrophique)
   Vérifier le système d'alarme de sécurité avant de l'activer

2. Les formalités avant le départ
   Faire une photocopie du passeport, des cartes de crédit et si possible de son itinéraire et les confier à un proche
   Vérifier que le plus important (billets d'avion, réservations d'hôtel, cartes de crédit – on ne peut jamais se fier à une seule – et assez d'argent en espèces) est bien dans le sac que vous garderez toujours avec vous.

3. Anticipations sur le voyage
   Faire une liste des cadeaux à rapporter (cela évitera d'en acheter trop et n'importe comment)
   Se renseigner sur les produits typiques du pays et savoir ce que l'on veut rapporter (mieux vaut s'offrir une seule et belle chose qu'un sac plein de souvenirs qui auront perdu leur charme une fois qu'ils auront quitté leur souk)
   Préparation de la valise ou du sac
   Faire une liste des cartes postales à envoyer avec

les adresses (tranquillité d'esprit pendant le voyage)
Aller chez le coiffeur, le dentiste, la manucure...

4. Personnes à contacter et services à employer
Faire la liste des gens auxquels téléphoner avant de partir (business, rendez-vous...)
Téléphoner aux personnes à prévenir de son absence (les parents, les voisins...)
Prévoir une garde pour les animaux, l'arrosage des plantes
Faire relever le courrier
Faire surveiller l'appartement
Confier un double des clés à une personne de confiance

5. Choses à régler avant le départ
Pressing, cordonnier... (aller chercher ce qui est prêt)
Vérifier l'huile et l'essence de la voiture
Recharger les batteries de l'appareil photo
Régler les factures
Retirer de l'argent en espèces

Faire son sac ou ses valises

Qu'emporter ? D'abord, renseignez-vous sur les conditions météorologiques du pays dans lequel vous vous rendez. Pensez à ce que vous ferez, qui vous rencontrerez. Faites une liste de ce que vous mettrez dans votre valise. Cela vous donnera une idée plus précise de ce qui est superflu ou de ce qui manque. Préparez votre valise une semaine à l'avance pour avoir sous les yeux ce que vous emporterez et reconsidérer, éventuellement, certains choix. Vous anticiperez, par la même occasion, les joies du départ (on se réjouit autant de l'idée de partir que du fait de partir).

Petits conseils

N'emportez jamais trop peu

Laissez de la place dans votre valise pour le shopping

Ayez toujours un cardigan avec vous pour l'aéroport et l'avion (que vous soyez à Singapour ou à Moscou, la température des aéroports est toujours la même)

Les produits de toilette, les médicaments sont essentiels. Vous ne voulez pas perdre de temps sur place à les chercher dans un magasin ; le shampoing des hôtels n'est pas généralement celui qui vous convient. Renseignez-vous auprès de votre agence de voyages pour savoir ce que vous avez le droit de garder avec vous dans l'avion

Suggestion de listes « Choses à emporter en voyage » pour :

- Week-end à la campagne
- Voyage d'affaires
- Séjour à la mer
- Séjour à la montagne
- Un mois dans les pays chauds
- Etc.

Le bagage à main

Utilisez le style des poupées russes pour changer de sac rapidement par nécessité ou par envie. Cela vous évitera de ne rien oublier au fond. Ce système de petites pochettes individuelles vous laisse libre de ne prendre que ce dont vous avez besoin, pour aller, par exemple, au restaurant de l'hôtel ou à la piscine sans avoir à transporter votre sac partout. Décidez une bonne fois pour toutes de la couleur pour chaque chose : argent pour l'argent, doré pour les reçus, rose pour le passeport... L'important est de toujours avoir les mêmes choses dans les mêmes pochettes. Ayez toute une collection de petites pochettes « poids plume » pour, respectivement :

Le maquillage
Les médicaments
L'argent de votre pays
Les devises du pays visité
Les reçus
L'appareil photo
Le passeport et les titres de transport
Les brochures et les cartes

La valise

Même méthodologie. Préparez les choses par catégorie, pour les emporter sans même avoir à réfléchir. Chaque catégorie doit avoir son contenant.

Vous pouvez compter vos sacs et saurez exactement si vous en avez oublié un. Mettez au fond de la valise les jeans et ensuite les pulls, les grosses choses (robes ou vestes) puis les choses plus légères. Pliez vos chemisiers tels qu'ils étaient quand vous les avez achetés. Roulez les cardigans. Mettez les chaussures dans leur sac à elles (deux paires suffisent en plus de celles que vous portez). Mettez toutes vos petites choses dans des sacs individuels par catégorie et tous ces petits sacs dans un grand sac à glissière, au cas où vous seriez complètement fouillé à la douane et pour ne pas avoir de fouillis dans votre valise. Marquez votre valise d'un signe particulier pour la reconnaître sur le tapis roulant.

Emportez des vêtements fins à porter en superposition. Pensez aux robes : c'est le vêtement le plus compact et pratique (vous n'avez pas à vous soucier de l'associer à autre chose). Ayez toujours une tenue habillée. On ne sait jamais. Et un grand châle Pashmina. Un imperméable à doublure amovible est aussi utile plus souvent qu'on ne le pense : certaines nuits d'Italie du Nord sont parfois très fraîches...

Préparer vos bagages selon une routine évite oublis et erreurs. Respectez-la dans un ordre précis, et la satisfaction s'ensuivra.

Mon kit de kits

Kit de soins

Nécessaire pour les ongles (lime, ciseaux, coupe-ongle, vernis, dissolvant)
Nécessaire d'épilation

Cotons-tiges
Mini-nécessaire à couture (des aiguilles et du fil suffisent)
Une petite bouteille de cirage liquide (on marche plus qu'à l'accoutumée en voyage)

Kit de secours

Un désinfectant (ou essence de lavande pure)
Des pansements adhésifs
Une crème antiseptique (ou essence de lavande pure)
Une crème contre les piqûres d'insecte (ou essence de lavande pure)
Des médicaments antidouleur
Gaze, coton, bandes, épingles à nourrice, ciseaux, pincettes...
Une lotion pour les yeux

Kit de toilette

Brosse à dents et dentifrice
Un peigne
Huile
Parfum

Kit de douche

Shampoing et conditionneur
Bonnet de douche (pour les cheveux longs)
Talc, déodorant ou pierre de cristal
Brosse pour le corps
Râpe callosités
Un vêtement « peignoir-pyjama-tenue d'intérieur »

Kit cheveux

Brosse à cheveux

Sèche-cheveux
Autres : bigoudis, laque, barrettes, pinces, épingles, turbans...

Kit « Maquillage »
Mascara
Eye-liner
Ombre à paupières
Blush
Poudre et /ou fond de teint
Rouge à lèvres

Kit électronique
Adaptateur de prise internationale
Chargeur pour l'appareil photo digital
Chargeur pour le téléphone mobile
Chargeur pour le iPod ou baladeur MP3
Chargeur pour l'ordinateur
Puces de mémoire

Kit documents importants et argent
Passeport (ou carte d'identité)
Billets de transport, et autres vouchers
Carte de résident et carte consulaire (si vous vivez à l'étranger)
Assurance
Cartes de crédit
Argent en espèces, chèques ou traveller's cheques
Permis de conduire (international si nécessaire)
Contrat d'assurance voyage, coordonnées de votre agent de voyage

Pochettes diverses pour

Chaque kit
Les sous-vêtements
Les chaussures
Le linge sale
Pochette multifonction (reçus d'achats, cartes postales, brochures, feuilles de réservation d'hôtel, notes de voyage...)
Pochette pour l'ordinateur
Pochette pour les recharges de l'appareil photo, de la caméra ou du portable
Un grand sac à glissière pour tous les petits sacs de kits

Kit de sacs

Un sac à main pour la journée
Un petit sac en satin pour les tenues habillées
Un sac de voyage pour deux ou trois jours (ou pour avoir avec soi dans l'avion)
Une valise
Un mini-sac « sport » en Nylon pour les excursions, une visite au spa, à la piscine, etc.

Le sac à main

Téléphone mobile
Porte-monnaie et argent (toujours avoir de la petite monnaie pour les pourboires, etc.)
Un stylo et un crayon (qui doivent être équipés d'un capuchon pour ne pas tacher la doublure de votre sac ou une trousse à crayons)
Du rouge à lèvres
Un tube de brillant à lèvres (applicable sans miroir)

Un petit vaporisateur de parfum
Les clés (ayez-en toujours un double caché quelque part)
Des épingles à nourrice (les kits offerts dans les hôtels sont parfaits)
Un poudrier
Une carte routière ou un plan de la ville (optionnel)
Votre agenda
Des cartes de visite
Des pansements adhésifs (ampoules, égratignures...)
Un peigne
Des mouchoirs en papier
Vos médicaments si vous devez en prendre régulièrement
De l'aspirine
Des pastilles à la menthe
Un parapluie pliant
Un sac léger en Nylon (pour des courses improvisées)

Les listes pour éliminer

Posséder moins pour avoir assez

« Un minimum bien employé suffit à tout. »
Jules Verne

Si vous vous amusiez à dresser l'inventaire de tout ce que vous possédez, que ce soit dans votre cuisine, votre salle de bains, votre cave ou votre sac à main, puis à noter le nombre d'articles par catégorie (24 petites cuillères, 3 louches, 5 shampoings, 3 bouteilles de Ketchup...), vous réaliseriez immédiatement ce dont vous vous servez effectivement et ce qui est en excès ; mais, attention, une telle liste peut faire 150 pages ! De telles listes sont la méthode la plus efficace pour éliminer l'encombrement une bonne fois pour toutes ; à moins d'être un collectionneur incorrigible ! Faire une liste de « Mes kits » vous aidera à ne posséder que ce dont vous avez réellement besoin. Ni plus ni moins. Vous saurez alors que tout ce que vous possédez en dehors de vos « kits » n'est là que pour votre plaisir. À vous ensuite de voir quels sont les « plaisirs » qui... vous en apportent le plus!

Liste anti-encombrement « Kits de mes choses essentielles »

Kit produits d'entretien : eau de Javel et poudre pour le lave-vaisselle qui dégraisse aussi à merveille murs, vitres et autres supports graisseux, chiffons blancs, aspirateur, balai, tenue de ménage

Kit ustensiles de cuisine : poêle, faitout, cocotte, bol et saladier mélangeur, passoire, mixer multifonction, planches à découper, couteau, louche, baguettes...

Kit linge de maison : draps, serviettes, vêtements d'intérieur, pyjamas

Kit tea time : un set assorti comprenant plateau, petites assiettes pour les sucreries, théière, pot à eau chaude, boîte à thé, tasses et soucoupes

Kit invités : draps, linge de toilette, brosse à dents, pyjama, le tout rangé dans une taie d'oreiller

Kit correspondance : papier à lettres, enveloppes, photos à envoyer, cartes postales, timbres de collection

Kits soins (voir listes précédentes)

Kit entretien chaussures : brosse, cirage, chiffons, imperméabilisant

Kit ambiances : bougies, vases, parfums d'intérieur...

Kit sacs : un sac dans lequel vous mettrez tous les autres sacs : sac pour les courses, les week-ends, les soirées, les randonnées, la piscine, le portefeuille de voyage, les sacs à chaussures, à linge pour les voyages, la trousse de toilette, celle de l'ordinateur, celle du sèche-cheveux...

Kit papiers personnels : papiers administratifs, carnets de chèques, passeport, assurances...

Kit informatique : câbles CD, notices explicatives, bons de garantie...

Ce que j'appelle « kit » peut être une trousse, une boîte, un sac, une étagère du placard... L'essentiel est de regrouper les choses par catégorie selon leur utilisation et leur fonction.

En parallèle, suggestion de listes à faire sur :

- Mes possessions les plus précieuses
- Les choses que je possède en excès
- Les choses sans valeur sentimentale que je garde
- Ce que je pourrais éliminer, donner, vendre (ce n'est pas se séparer des choses qui est le plus difficile mais en prendre la décision)
- Les vêtements de ma penderie que je ne porte jamais
- Et, a contrario, la garde-robe idéale

Comment se séparer de certains objets du passé

> « Les objets sont faits pour sauver le présent. Ils sont des sortes de projets. Les mémoires, elles, sont faites pour sauver son enfance, sa jeunesse : elles sont une sorte de devoir de l'adulte envers l'enfant

> qu'il a été. Il faut rendre justice à tout ce que sa jeunesse a été. La jeunesse était le temps de son apprentissage. »
>
> Simone de Beauvoir,
> extrait d'un documentaire
> réalisé par Madeleine Gobeil-Noël sur Sartre
> et Simone de Beauvoir

Nous aimerions bien parfois nous débarrasser de choses qui encombrent nos vies, mais que faire de tous ces objets du passé ? Vous pourriez écrire une sorte de minipoème d'adieu à chacun, résumant ce que cet objet représentait ou évoquait pour vous, en prendre une photo, et vous en séparer. Si vous ne pouvez pas jeter le pull de votre « ex » d'il y a cinq ans, voilà ce que vous pouvez noter :

« *Le pull bleu de T.*

T. le portait le jour de notre rencontre, sur la jetée
Il était de la couleur de ses yeux
Je m'en enveloppais souvent, il portait le parfum de T.
Il me rassurait, dans la maison, quand T. était parti
Il m'a longtemps réchauffé le corps et l'âme. »

Suggestion de listes « Adieu, objets du passé » :

- Ce que me rappellent certains objets dont je vais me séparer
- Ce qui ne correspond plus à mon goût (tout le monde change !)

- Les objets me rappelant une dispute, une personne que je veux oublier
- Des objets offerts par une personne chère mais qui m'encombrent
- Des objets achetés pour une maison qui n'est plus celle dans laquelle je vis
- Des objets qu'on m'a offerts et dont je veux me débarrasser

Photos, articles de presse et *scrapbooks*

Les photos

Les photos sont, elles aussi, une forme de liste... visuelle.

Faire des listes, rappelons-le, c'est ordonner le chaos, classer sous une forme particulière des éléments appartenant à une même catégorie.

Faire des clichés sur mesure, éliminer les photos similaires et ne garder que celles qui évoquent vraiment des souvenirs personnels puis les classer par année, par thème ou par personne, puis les coller sur des feuilles de papier A4 et les glisser dans des classeurs peuvent prendre des semaines, mais ensuite, quel bonheur de faire défiler sous ses yeux le film de sa vie...

Pour les paresseux (fortunés), il existe même des services spécialisés dans la création de livres de tous leurs clichés. Mais vous pouvez fabriquer vous-même votre propre album original en ne gardant que ce qui est unique : personnes, animaux, choses... Dites-vous que les pyramides d'Égypte sont dans les livres, les chutes du Niagara sur DVD ; n'hésitez pas non plus à « tailler dans vos photos » aux ciseaux pour ne garder de la photo que la partie qui vous intéresse. À moins que vous ne vouliez conserver vos souvenirs photographiques en une collection de 50 tomes reliés !… Sélectionner, choisir, c'est ne garder que ce qui a de la valeur et de l'importance.

Vous pourrez ensuite coller ces clichés dans des *scrapbooks* et noter au feutre fin, directement sur la photo, dates, noms et lieux. C'est tout ce qui compte pour vous souvenir. Mais attendez un après-midi de pluie ou de longues soirées d'hiver pour entreprendre cette tâche ardue.

Vous pouvez aussi, à la place des albums, ranger vos photos dans des sachets classés par événement, thème… Par exemple, une pochette « Amants », à feuilleter quand votre moral est au plus bas pour vous dire que, finalement, la vie vous a apporté de grands moments…

Les scrapbooks

Un livre sur les listes ne peut pas, bien évidemment, éviter le sujet des incontournables scrapbooks, ces gros albums dans lesquels nous collons ce qui nous plaît, tout et n'importe quoi. Se constituer un scrapbook est un passe-temps très tentant, j'en conviens. Mais si les listes sont plus concises que les journaux, les scrapbooks sont, eux, une solution pour « recycler » l'encombrement matériel sous une autre forme. Les Anglo-Saxons pratiquent beaucoup ce hobby, mais ils écrivent aussi des kilomètres de journaux intimes. Les listes sont faites, elles, pour justement se désencombrer de toutes sortes de mots, de choses, et ne garder que l'essentiel.

Si vous tenez cependant à faire des scrapbooks, voici quelques idées : classeurs dans lesquels vous collerez des documents (tickets de cinéma, dessins, cartes postales reçues, invitations...), toutes ces petites choses du quotidien avec la date, les personnes concernées, vos impressions, vos poèmes, vos citations...

Les classeurs de voyage

Cartes postales, itinéraires, renseignements pratiques, photos, notes sur des incidents qui vous sont arrivés, budget...

Listes que l'on pourrait faire précéder du chiffre « 1 »

Pourquoi posséder plus que ce dont on a besoin, garder des choses dont on n'a que faire, qui nous encombrent, matériellement et psychologiquement, et qui empêchent ce qui a véritablement de la valeur d'être utilisé ou apprécié à sa juste mesure ?

Possessions matérielles

1 huile unique : cheveux, peau, massages, ongles, démaquillage

1 seul savon (visage et corps)

1 vanity renfermant l'ensemble de ses menus effets personnels

1 parfum unique (sentiment de constance, de présence, de fidélité)

1 bague : pourquoi s'embarrasser de plus ?

1 paire de boucles d'oreilles (assortie à la bague)

1 vernis à ongles (mains et pieds assortis)

1 couleur par tenue (haut, bas, chaussures, sac)

1 fleur dans un vase (essence du zen)

1 agenda de sac (contenant tout ce dont on a besoin à tout instant)

1 carnet de listes !

1 grand châle pour l'hiver et l'été (vent, clim...)

1 tenue basique pour l'hiver : manteau, bottes, chapeau, gants

1 tenue pour les week-ends de mi-saison

1 couleur thématique par pièce

1 sorte de métal (or ou argent) pour ses bijoux, ses stylos...

Activités « zen »

1 tableau à admirer en particulier au musée

1 voyage en solitaire

1 soin de beauté par jour (pas de stress)

1 coin de ménage à fond à la fois

1 cycle des films d'un même réalisateur à la fois (Tati, Wim Wenders...)

Engagements

1 jour par semaine sans aucun rendez-vous (comme le sabbat)

1 seule banque (limiter au minimum les papiers administratifs)

1 seule parole (être Un en pensées, actions, paroles)

1 chiffre rond d'économies (100, 1 000, 10 000 euros)

1 poids idéal pour la vie

Nourriture et cuisine

1 bol (quantité restreinte assurée pour ne pas trop manger)

1 plat unique ou un plateau-repas

1 portion de chaque mets (tranche de pain, œuf, pomme...)

1 soupe repas complète (céréales, protéines, légumes)

1 couteau de cuisine et une planche à découper

1 set de vaisselle personnelle (bol, tasse, assiette, couverts)

1 journée de monodiète (pommes, jus de fruits...) par semaine ou par mois

1 style de vaisselle non disparate (aussi simple que possible pour mettre en valeur plusieurs types de cuisines)

1 paquet de thé entamé à la fois (ouvert son parfum s'évente)

À lire, pour se débarrasser du fatras de ses possessions : *Les Choses.* Georges Perec y donne des dizaines de listes de « choses ». Ces listes nous font vraiment prendre conscience de notre asservissement aux biens matériels et à leur rapport au bonheur.

Liste de choses qui compliquent la vie

Trop de personnes dans son carnet d'adresses
Trop de choses inutiles
Trop de choix
Trop de kilos
Trop de laisser-aller
Trop de promesses non tenues
Trop d'indécisions
Trop s'attacher

Une vie bien ordonnée

Leçons tirées du livre *Getting Things Done*[1]

Comment en finir avec ces interminables listes de choses à faire, ce sentiment d'impossibilité d'en venir à bout en faisant les choses mieux ?

L'efficacité vient de la paix de l'esprit et la paix de l'esprit découle d'un système d'organisation fiable, tout simplement.

Une boucle ouverte, c'est une idée incomplète qui vous flotte dans la tête, une intervention souvent indéfinie, soit dans vos actions, soit dans le temps. Faire l'inventaire de ces boucles ouvertes est simple. Par exemple : qu'est-ce qui vous empêche en ce moment de vous concentrer entièrement sur la lecture de ce livre, qu'est-ce qui vous tracasse ? Qu'est-ce que vous avez peur d'oublier ? On se fait souvent tout un monde des choses à faire, mais, une fois listées, elles paraissent beaucoup plus facilement contrôlables.

---

1. David Allen, *Getting Things Done : The Art of Stress-Free Productivity*, Viking Penguin, New York, 2001.

Le livre *Getting Things Done* propose la méthodologie suivante :

1. Rassembler
2. Traiter
3. Organiser
4. Réviser
5. Agir

En gros, il faut faire l'exercice fréquent de rassembler toutes ses boucles ouvertes, les traiter par une méthode rapide, organiser les tâches à accomplir selon les contextes, évaluer périodiquement ses listes et surtout AGIR. La clé se trouve dans l'action concrète.

Si vous avez à changer vos pneus, ce qu'il faut faire, ce n'est pas changer les pneus, mais prendre rendez-vous avec un garagiste. Ou chercher un garage. Plus l'énoncé sur la liste sera clair, plus l'action sera faisable.

S'il y a des choses à faire en deux minutes, faites-les immédiatement. Cela n'encombrera pas votre liste. Vous aurez aussi l'impression d'aller à 200 kilomètres à l'heure avec cette règle, parce qu'elle vous permet de régler toutes sortes de petits problèmes en une seule journée, en plus des tâches longues et plus complexes.

Votre agenda est sacré; n'y inscrivez que ce qui doit être fait à dates et heures précises. Pour le reste, classez-le par types tels que « shopping dans tel quartier », « choses à faire cette semaine », « coups de téléphone à passer », « lettres à écrire », etc. dans votre liste « À faire ».

Combinez « Écrire une lettre à Lily en attendant chez le dentiste », à « Passer tel coup de fil à H. pendant que le garagiste change les pneus », etc.

Créez enfin une liste de tâches faciles à régler, utiles mais non essentielles, comme ranger le bureau, faire le tri des factures. Consacrer un moment à « nettoyer » les choses à faire qui traînent sur cette liste est un excellent moyen de se redonner du courage et de l'énergie pour vouloir tout terminer.

Notez même vos problèmes

Faire des listes, ce n'est pas seulement noter ce qu'il y a à faire sur une feuille de papier, mais transcrire ce qui se passe dans sa tête pour mieux voir ce que l'on peut faire immédiatement ou laisser en attente. On peut ainsi mieux cerner certaines priorités afin de les accomplir.

On ressent un sentiment remarquable de soulagement une fois que tout ce que l'on voulait décharger de sa tête est transféré sur le papier ! Si vous avez des problèmes auxquels réfléchir ou à résoudre, qu'ils soient d'ordre professionnel, relationnel, privé ou physique, notez-les aussi. Ils n'auront plus l'ampleur que vos émotions leur donnent. Ils seront focalisés, concrets et limités, plus contrôlables, moins envahissants ; ils seront comme le reste : quelque chose à régler, de toute façon.

Notez donc TOUS vos problèmes, même si vous n'avez pas l'intention de les résoudre pour le moment. Cette liste vous allégera souverainement.

Suggestion de listes à faire :

- Choses qui me dérangent
- Choses que je redoute
- Mes problèmes

Les listes « Questionnaires »

Avant d'acheter ou de louer un appartement, préparez une liste de questions et demandez à vos proches de vous aider. Plus on a préparé ses questions, moins on a la malchance de tomber sur de mauvaises surprises si l'on doit se décider pour louer ou acheter rapidement. Tâchez aussi toujours d'obtenir le plus d'informations possible par écrit.

« Liste questionnaire » pour louer ou acheter un appartement

Exposition de l'immeuble
L'heure à laquelle chaque pièce est ensoleillée
Les bruits dans la journée, la nuit
Le coût des charges individuelles
L'insonorisation
Demander à faire couler robinets et douches pour vérifier leur fonctionnement
Poser des questions sur le chauffage (date de pose de la chaudière...)
En ville, l'emplacement de la station de métro la plus proche

Les impôts fonciers
Le bail
La sécurité (code d'entrée)
Les problèmes de voisinage (faire de vous-même une petite enquête après la visite)

On peut étendre ces listes « Questionnaires » à différents domaines qui supposent un investissement important :

- Une intervention chirurgicale, une opération esthétique
- L'achat d'un véhicule
- Un investissement financier
- Les conditions de travail d'un nouvel emploi
- Un prêt bancaire
- L'adhésion à une assurance, un club, une association

Deuxième partie

Les listes pour... apprendre à mieux se connaître

Qui suis-je ?

Pourquoi chercher à mieux se connaître ?

« Celui qui se connaît est seul maître de soi. »
Pierre de Ronsard

Composer son autoportrait... Bien vaste programme en vérité ! Vous pouvez, comme Édouard Levé dans son fameux ouvrage *Autoportrait*, écrire bout à bout toutes sortes de phrases se rapportant à vous, reflétant vos réflexions, vos souvenirs, vos impressions ou bien faire des listes de vos souvenirs. Mais cela ne suffit pas. L'autoportrait est un tout. Il doit rassembler tout ce qui vous concerne : votre histoire, vos rêves, vos goûts, vos traits de caractère... Or, c'est comme si l'ensemble de vos listes traçait de vous le plus fidèle des autoportraits. Carnets culinaires, listes de lectures, cauchemars, amours..., c'est tout cela, vous.

Quand nous observons les autres, nous nous demandons parfois s'ils se connaissent bien, s'ils sont conscients de ce qu'ils disent, de ce qu'ils font. Mais nous, nous connaissons-nous mieux qu'eux ?

Chacun de nous aimerait évidemment se connaître, mais nous ne réalisons pas que nous ne voyons de nous que ce que nous voulons bien voir. Nous distordons ce reflet que nous contemplons dans le miroir pour ressembler à ce que nos désirs, notre entourage, notre rôle dans la société nous imposent. Étant devenus de purs consommateurs de temps, nous dispersant dans mille et une directions, vivant au jour le jour, nous oublions qui nous sommes dans le tourbillon de la vie. Alors nous nous sentons vides de l'intérieur, constamment insatisfaits, privés d'une identité personnelle, ne trouvant pas le sens de notre présence au monde.

Choisir, se remémorer, révéler le plus profond de soi-même, observer et réarranger des préférences désordonnées à propos de myriades de sujets concernant sa propre vie permettent d'abord de mieux se connaître, puis de se forger une identité autour de laquelle graviter pour pouvoir mieux savoir ce que l'on veut de la vie.

La première vertu de l'écriture, en particulier celle des listes autoportraits que je vous propose, est de se retrouver soi-même, de tracer avec les mots le chemin qui mène à sa propre vérité ; nous avons à ce point oublié qui nous sommes que ce chemin, qui pourtant nous mène vers nous-mêmes, semble conduire en terre inconnue.

Nous ne saurons jamais qui nous sommes puisque nous sommes un et plusieurs à la fois. Mais avoir la modestie de commencer pas à pas ce puzzle qu'est l'autoportrait, et comprendre l'importance de cette démarche, c'est le début d'une quête peut-être impossible, car infinie, longue et difficile, mais valant la peine d'être entreprise. Réfléchir à la vie que nous menons, reconnaître les courants du changement et du mouvement sont indispensables pour ne pas passer à côté de l'essentiel, qui est de prendre conscience de ce qu'est la vie et de ce que nous sommes.

Lao Tseu disait : « Aimez le monde comme votre propre Moi et alors vous pourrez vraiment aimer toute chose et Bouddha. Soyez la lumière sur vous-même, et non la lumière sur le monde. » Ce qui signifie : sachez vraiment qui vous êtes et vivez cette personne ; développez un intérêt grandissant pour votre propre vie. Elle n'en sera que plus lumineuse.

Se poser à côté de soi et regarder

> « Selon l'enseignement du Talmud, nous ne voyons pas les choses comme elles sont, mais comme nous sommes, nous. Nous portons tous des verres de lunettes colorés. Un des plus grands moments de notre vie est d'abord quand nous réalisons que nous les portons. La liberté nous semble alors bien plus proche de nous. C'est un moment de grande puissance. »
>
> Rachel Naomi Remen, *Kitchen Table Wisdom*

Souvent, pendant les poses méditatives des séances de yoga que je suivais au Japon, le professeur nous demandait de fermer les yeux, de calmer notre mental et de nous poser « à côté de nous-mêmes », doucement, pour regarder cette personne assise à méditer. « Observez tout d'elle, ses ongles, sa manière de se tenir, ses pensées, la vie qu'elle mène... », murmurait-elle, d'une voix douce et neutre.

Regarder est une activité en soi qui implique un observateur et un observé. C'est tout simplement le moi invisible qui parle au moi physique. En faisant cet exercice, très utile dans de nombreuses situations, nous réalisons que ce n'est pas le moi physique qui est le point focal, mais la personne que nous sommes de l'intérieur : ce qu'elle fait, ce qu'elle dit, ce qu'elle pense, ce qu'elle ressent. Cultiver la faculté d'être son propre témoin aide à approfondir la perception de notre moi profond. Nous avons besoin d'apprendre à être ce témoin.

À quoi ressemble cette personne ? Quels choix fait-elle ? Quels sont ses passions, ses amours, son passé ? Écoute-t-elle du jazz ? A-t-elle un chien ? Que lit-elle le plus souvent ? Si on avait écrit un roman de sa vie, quel auteur aurait-elle choisi pour l'écrire ?

Nous pouvons remodeler à l'infini notre vie, nos actions, trouver un chemin à travers le brouillard de nos pensées, prendre conscience de notre relation à l'univers et être plus à l'aise avec nous-mêmes. Mais pour cela nous avons besoin de nos expériences du passé, de nos observations de la vie, de nos lectures, de nos réflexions intérieures. Il faut donc commencer par en faire état, avec autant de précision, d'honnêteté et de lucidité que possible. C'est ensuite seulement que nous pourrons prendre du recul et savoir mieux qui nous sommes.

Faire des listes nous force à réfléchir, à questionner, à explorer, à assembler et organiser tout ce que nous avons collectionné d'histoire personnelle, de savoir-faire, de savoir et de sagesse au cours de notre existence. Tous les détails, même infimes, que nous pouvons noter nous renverront une image de nous plus fidèle que celle que nous contemplons dans le miroir ; ils nous amèneront à considérer la vie dans une perspective nouvelle. Puis quelque chose de magique se mettra en œuvre : nous commencerons à vivre de manière plus intense, plus riche, plus personnelle. Le pouvoir révélateur des listes est immense. Si la plupart des personnes que vous fréquentez sont des artistes, par exemple, n'est-ce pas que vous avez vous-même, au fond de vous, une âme d'artiste ? Pourquoi ne pas vous engager dans une activité artistique ? Qui sait, c'est peut-être là votre véritable vocation, même si vous n'en avez jamais pris conscience auparavant...

Le bouddha à sept faces

> « Est-ce que je me contredis ? Oui. Bon. D'accord. Je me contredis. Mais je suis grand. Et en moi sont contenues des multitudes. »
>
> Walt Whitman,
> « Une chanson de moi-même »

Il existe au Japon mille et une sortes de bouddhas et, parmi eux, le bouddha à sept faces dont la tête est entourée de sept visages empreints des sept émotions. Quand nous montrons un visage souriant au monde, ne cache-t-il pas, parfois, colère, anxiété, tristesse ou amertume ? Certes, nous changeons, nous évoluons sans cesse, mais le vrai moi, celui qui est notre essence, est constant. Alors, comment le découvrir ? Pour mieux se connaître et conserver des traces de soi (mieux que les objets ou les photos), se constituer un « almanach » de sa vie sous forme de listes est un procédé méthodique efficace. Nous sommes un et plusieurs à la fois, le moi qui est l'essence de notre personne, et tous les moi que nous devenons au contact des autres, au fil de l'existence, selon les circonstances, les occasions... Il y a le moi de notre jeunesse, le moi courageux, le moi peureux, le moi adulte, le moi enfant, le moi généreux, le moi menteur, le moi artiste, le moi honnête, le moi triste, le moi enjoué... Sommes-nous les mêmes à une soirée mondaine et avec nos amis ? en face d'un homme et en face d'une femme? avec la faim au ventre et complètement repus? Tous ces « je », ces « moi » ne sont pourtant que quelques-unes des multiples facettes de notre être. En dressant un « patchwork » de ces multiples moi, non seulement passés et présents mais aussi futurs (ceux de la personne que nous voulons ou voudrions devenir), nous pouvons un peu mieux entrevoir qui nous sommes vraiment. Ce portrait se veut aussi complet que possible : tous nos moi rassemblés en un seul endroit (le carnet), formant un portrait, une unité, un tout, un tableau qui, lui, a le pouvoir de nous renvoyer l'expansion virtuelle de notre moi futur.

Monographie de mon moi

Mes moi, un être unique

> « Nous ne sommes pas une moyenne mais une addition. Non point du gris mais du blanc et du noir juxtaposés, une mosaïque, une duplicité. »
>
> Saint Paul

Souvent nous voudrions plusieurs choses à la fois : être marié et célibataire, résider à Londres et à Nouméa, travailler et être à la retraite... Ces conflits intérieurs et ces contradictions ralentissent la progression de notre vie. Pour les surmonter et rester fidèle à soi-même, il nous faut promouvoir une synthèse interne, un compromis, une espèce de réconciliation. Dresser une liste de tous ces moi qui nous composent aide à mieux prendre conscience de chacun d'eux et de lui accorder l'attention, la considération et le temps qu'il mérite.

Essayez de dresser un éventail aussi étendu que possible des multiples facettes que vous pouvez capter de vous et de les intégrer en un tout, de façon à éviter un maximum de conflits externes et... internes. Cela vous aidera à développer un plus grand moi qui sera capable, lui, de contenir toutes ces contradictions de vos petits moi et qui trouvera des solutions originales pour les faire cohabiter.

Développez ce moi unique, son architecture, mettez-le en valeur. Posez-vous le plus de questions possible, notez le plus de détails possible. Demandez-vous si vous préférez la compagnie à la solitude, la vie que vous menez maintenant ou celle dont vous rêviez à vingt ans. Notez ce que vous aimez chez votre conjoint, votre amant, votre fils, vos enfants, vos parents, et ce que vous aimez moins. Notez le genre de vêtements que vous aimeriez porter, les musiques qui vous emportent, les ballets qui vous donnent le frisson, votre éthique, vos rêves...

Que sont l'amour, le succès, le bonheur ? Quel est le don unique que vous avez à offrir aux autres ? Le fait d'avoir sous vos yeux, écrite, la description de vous-même vous aidera à vous sentir encore plus « vous ». Vos choix se feront plus sûrs, vos décisions plus fermes, vos actes plus réfléchis. Nous gagnons tous un sens plus profond de l'existence en agissant selon nos propres valeurs, des valeurs que nous connaissons et en lesquelles nous croyons. Il est donc important de les définir. Dresser son autoportrait peut se révéler une entreprise d'immense envergure. Il relève de notre mode de vie, de nos goûts, de nos pensées, de notre éthique, de notre subconscient, de notre inconscient, de nos côtés rationnels et irrationnels et de tout ce que nous ignorons. Qu'étions-nous dans nos vies précédentes ? Avons-nous des anges gardiens ? Quelle part de ce que nous sommes avons-nous héritée de nos ancêtres et quelle part relève véritablement de nous-mêmes ?

Capter une partie de soi dont on n'était pas conscient jusque-là, découvrir d'autres facettes de son caractère, tout cela fait plus clairement réaliser à quel point nous sommes complexes et riches. Se regarder à travers ses listes, c'est pouvoir se dire : « Voilà qui je suis. »

Suggestion de listes à faire sur mes différents moi :

- Mon héritage familial
- Ce que j'aimais faire, enfant
- Mes qualités
- Mes défauts
- Mes faiblesses
- Mon tempérament
- L'image que les autres ont de moi
- La ou les personnes que je voudrais être
- Mes ambitions
- Mes attentes, mes regrets
- Les personnes qui m'ont influencé
- Mon éducation
- Mon héritage culturel
- Mon curriculum vitæ professionnel
- Les matières que j'ai étudiées
- Les hobbies que j'ai pratiqués
- Les voyages que j'ai faits
- Les endroits dans lesquels j'ai vécu
- Les endroits dans lesquels j'aimerais vivre
- Les styles de vie que je rêve d'avoir

Mes goûts

Bien que cela paraisse étonnant, beaucoup de personnes ne connaissent pas leurs goûts. Si vous leur posez des questions précises sur leur couleur préférée, leur style d'intérieur préféré, ils vont répondre au hasard et donner une réponse qui ne correspond pas à ce qu'ils reflètent. Une personne peut dire que sa couleur préférée est le blanc et porter au quotidien des vêtements très colorés ou à motifs. Elle peut dire que son style d'intérieur préféré est le moderne et vivre dans les meubles de ses grands-parents. Pourtant, connaître sa couleur préférée et vivre avec au quotidien, expliquent les spécialistes en « conseil en images », assurent plus de réussite dans la vie. On se sent comme unifié avec soi-même, engagé, résolu. On en retire une grande harmonie intérieure, n'ayant pas à consumer son énergie dans le doute, l'indécision, le regret. On a cette force intérieure de ceux qui sont en accord avec eux-mêmes.

Une autre preuve que les gens ne connaissent pas leurs goûts est l'encombrement dans lequel ils vivent. Ils achètent sans savoir d'abord ce qu'ils aiment. Ils achètent une quatrième théière, la trouvant plus jolie et pratique que celles qu'ils ont chez eux, mais, au bout de quelque temps, ils s'en lassent et ne savent toujours pas laquelle de leurs théières est la meilleure. Ils ne peuvent donc se défaire d'aucune.

Or choisir entre deux parfums de glace est plus agréable qu'entre vingt. Autrement dit, la vie est beaucoup plus belle lorsqu'on sait où l'on va, ce que l'on aime, ce que l'on n'aime pas, ce que l'on veut.

Suggestion de listes « Ces choses qui sont moi » :

- Les endroits publics dans lesquels je me sens bien
- Les fleurs et les plantes que j'aimerais avoir dans mon intérieur
- Les couleurs que j'aime porter
- Les vêtements et accessoires qui reflètent ce que je suis véritablement de l'intérieur et qui reflètent mon style
- Les vêtements qui ne sont pas moi
- Le maquillage qui me va le mieux
- La ou les coiffures qui me vont le mieux
- Les activités dans lesquelles je me sens épanoui
- Le type d'alimentation que je voudrais appliquer au quotidien
- Mon (mes) style(s) de vaisselle et d'ameublement préféré(s)
- Les types de personnes que je ne veux plus fréquenter
- Les conversations que j'aime avoir et celles que je déteste

Ce que je ne voudrais jamais faire ou refaire

> « 8 mars 1901, liste de choses qui m'irritent :
> Les personnes qui appellent la silhouette d'une personne sa " forme "
> Des hanches qui roulent quand elles se déplacent
> Les gens avec des yeux de poisson
> Les gaines serrées
> Les vins sucrés sans goût
> Les hommes à moustache
> Les bananes pas mûres
> Les fous qui me disent ce que je veux faire
> Un lit au matelas creux dans le milieu... »
>
> Mary Mac Lane, *Journal*

Se connaître, c'est aussi savoir ce que l'on n'aime pas. Certaines personnes ont développé l'autoconnaissance en faisant, entre autres, des listes de ce qui les irritait. Mary Mac Lane, jeune écrivain du Montana du début du siècle dernier, avait dressé pendant sept ans non seulement des listes des choses qu'elle aimait, mais aussi de celles qu'elle n'aimait pas.

Dans la vie, il faut prendre beaucoup de décisions ; et si vous ne prenez pas de décisions, vous ne ferez jamais rien parce que vous passerez tout votre temps à hésiter entre les différents choix possibles. Donc il est bon d'avoir une raison pour détester certaines choses et en aimer d'autres.

Pourquoi ne pas vous faire, pour votre prochain anniversaire, une liste de toutes les choses que vous ne voudriez jamais refaire ? C'est avec l'âge qu'on parvient à se réaliser, en même temps qu'on prend conscience qu'on n'est pas éternel.

En termes de bonheur, ne PAS faire ce que l'on n'aime pas semble être presque aussi important que de faire ce que l'on aime. Éliminer ne serait-ce que quelques-unes de ces choses-là peut contribuer à plus de bonheur. Nous savons tous les choses que nous n'aimons particulièrement pas faire ; mais les formuler (surtout s'il s'agit de types de comportement) aide à moins s'infliger une forme d'autoconditionnement. Nous faisons souvent les choses parce que nous les avons toujours faites. Notre vie est en grande partie constituée de routines. Les listes peuvent être un outil pour y voir plus clair. C'est tellement simple ! Tout le monde peut faire cet exercice, utiliser cet outil, et cela, dans toutes sortes de domaines.

Beaucoup d'entre nous, à différents moments de nos vies, avons eu des incertitudes quant à l'exacte nature de ce que nous voulions pour nous-mêmes, alors qu'à d'autres nous savions précisément ce qui n'allait pas. Savoir ce qu'on ne veut pas dans la vie aide à avancer.

Ces listes de ce que vous ne voulez pas refaire vous diront où vous en êtes, et c'est là le premier pas vers la connaissance et l'amour de soi. Vous pouvez faire une double liste : à gauche, les choses que vous avez faites et regrettées et, à droite, ce que vous feriez si l'occasion se représentait. Cet exercice n'est pas vain. Bien au contraire : il constitue une excellente technique pour tirer une leçon de ses erreurs du passé et pour renforcer les nouvelles formes de comportement désirées.

Suggestion de listes « Ce que je ne veux pas dans ma vie » :

- Moments que j'ai gaspillés pour des choses qui n'avaient pas d'importance pour moi. Ce que je referais aujourd'hui
- Choses que j'ai gaspillées en termes de bonheur (choses que j'ai faites et que je n'aimais pas faire)
- Choses que je n'aime pas
- Choses que je n'aime pas faire
- Choses que je peux changer facilement
- Choses que je peux changer, mais difficilement

- Choses que je ne peux pas changer
- Type de personnes que je veux éviter
- Ce que je n'aime pas chez...
- Ce que je n'aime pas dans...
- Ce que je ne n'aime pas avec...

Les « pas japonais »

> « La vie ne se comprend que par un retour en arrière, mais on ne la vit qu'en avant. »
>
> Søren Kierkegaard

Imaginez, dans un jardin parfaitement obscur, un chemin de pierres fluorescentes, de ces gros galets appelés « pas japonais », sur lesquels on marche pour ne pas se salir les pieds. Imaginez que ces « pas japonais » représentent différentes étapes de votre vie.

Faites une liste de petits chapitres à compléter intitulés « Mes années autour de la vingtaine », « Ma trentaine », « Ma quarantaine », etc. et notez dans chacun d'eux les principaux événements qui ont eu lieu.

Ira Progoff, dans *Intensive Journal,* recommandait de faire la liste des événements principaux de sa vie sous forme de « pas japonais ». Mais il insistait sur l'importance de ne pas créer plus d'une douzaine de pas, cela afin de garder une vue claire et globale sur l'ensemble de sa vie. Ces douze pas peuvent ressembler à :

— Ma petite enfance
— Mon accident de moto

— Mon premier grand amour
— Mon mariage
— Mon divorce...

Faire une chronologie de votre vie sous cette forme vous permettra de trouver une corrélation entre toutes sortes d'événements qui vous paraissaient jusque-là disparates et sans continuité (aspirations professionnelles sans rapport les unes avec les autres, cycle de mariages, divorces, ruptures...). Ce chemin de « pas japonais » vous ouvrira les yeux sur la personne que vous êtes comme si vous aviez écrit l'histoire de sa vie. Vous gagnerez un aperçu de cette personne en mouvement, et cela vous donnera une meilleure vue de votre propre progression. Vous pouvez également faire le tableau de « pas japonais » d'une personne qui vous est chère (votre conjoint, un ami, un membre de votre famille...). Vous la percevrez alors comme autonome et séparée de vous, plutôt que de la voir comme l'objet de votre amour ou de vos besoins. Vous entreverrez peut-être même une suite à son histoire.

Les listes en « pas japonais » peuvent être déclinées pour comprendre sa vie dans différents domaines. Vous pouvez ainsi écrire les « pas japonais » de vos amours, ceux de vos succès, ceux de votre carrière...

Il vous sera ensuite aisé de développer chacun de ces « pas » en y greffant d'autres éléments. Vous serez peut-être même capable, en révisant de la sorte la progression de votre vie, de visualiser en continuation les

« pas japonais » du futur que vous aimeriez emprunter. Par exemple :

— Mon divorce est prononcé
— Je vis à Nice
— Je prends des cours de peinture
— J'emménage dans un joli petit appartement
— Je vends quelques-uns des tableaux que j'ai peints
— Je trouve enfin la paix

Cette liste est aussi une liste de vœux, mais de vœux parfaitement réalisables. Ce qui y est noté influencera le devenir de votre vie : les listes aident à prendre des décisions, à visualiser le futur, et en ce sens elles nous guident. Elles permettent également de prendre plusieurs options en compte. Faire la liste de ses rêves pour le futur apporte non seulement du plaisir dans le présent, mais permet d'extraire de ces rêves ce qui peut être réalisable.

Suggestion de listes de « pas japonais » à faire sur :

- Tous les endroits où je suis passé (maison, école, voisinage, amis... ; beaucoup d'autres souvenirs se grefferont à ceux-ci)
- Mes hobbies
- Mes amours
- Ma carrière

Mes listes portraits

> « Je suis prise au piège entre la beauté de June et le talent de Henry. De façons différentes, je suis attachée aux deux ; une part de moi va à chacun ; l'écrivain en moi est ce qui fait que je m'intéresse à Henry. June me donne le goût du danger. Je dois choisir et je ne peux pas. »
>
> Anaïs Nin, *Journal*

Voilà ce que notait, à la suite du portrait qu'elle avait fait d'eux dans son journal, Anaïs Nin à propos de sa double attirance pour Henry Miller et sa belle épouse June. Une partie d'Anaïs voulait être June, l'autre Henry. En analysant cela, Anaïs fut enfin capable de faire une synthèse et d'éclairer sa propre identité comme femme et écrivain.

Faire la liste portrait des qualités que vous admirez chez une personne, de ce que vous appréciez chez elle vous permet de décrypter ce qui vous attire en elle, et de découvrir, par le même processus, ce que vous voudriez être ou... ne pas être, vous. Les défauts que l'on remarque chez les autres sont souvent ceux dont on se sent menacé de souffrir, soi, et leurs qualités celles que nous aimerions avoir. Les psychologues disent qu'on porte en soi – du moins au stade embryonnaire – les qualités qui nous fascinent chez les autres. Le choix des personnes que nous décidons de fréquenter, d'éviter ou d'ignorer est donc bien souvent la projection de ce que nous sommes, nous. Ces personnes représentent et satisfont souvent divers aspects de nous-mêmes, ce qui expliquerait pourquoi nous sommes alternativement attirés par des personnes très différentes les unes des autres.

En faisant le portrait de certaines personnes et en notant ce qui vous intrigue, vous attire ou vous fascine chez elles, vous ferez entrer ces qualités dans votre désir conscient de les acquérir vous aussi : un processus de prise de possession se mettra alors en route. Une femme qui tombe toujours amoureuse d'artistes ne réalise peut-être pas qu'elle porte un artiste potentiel en elle...

Faites les portraits d'êtres chers, notez ce qu'ils vous ont apporté, ce qui vous a transformé à leur contact. Chaque personne aimée nous apprend à regarder et apprécier le monde avec ses yeux à elle.

Suggestion de « Mes listes portraits » :

- Mes meilleurs amis, qui ils sont, ce que j'aime chez eux
- Mes amis d'adolescence : ce que nous faisions ensemble
- Les amours de ma vie : ce qui m'attirait chez ces personnes
- Les professeurs qui m'ont apporté le plus
- Les membres de ma famille auxquels je suis très attaché
- Portrait d'inconnus avec lesquels j'ai eu un contact profond pendant quelques minutes, quelques heures
- Personnes à très forte personnalité, qui m'ont influencé
- Portrait de personnages de romans, de contes ou de films qui m'ont marqué

Mes listes archétypes

« Quand on l'a rencontré, on se sent un autre. »
Chantal, ma sœur

Les listes peuvent être le moyen idéal de découvrir l'indispensable part de rêve et d'inconscient qui doit être prise en compte dans tout travail d'introspection. Le monde des symboles et des archétypes tisse notre histoire personnelle. Mais comment définir ces archétypes ?

La plupart des personnes pensent que si elles se collent des étiquettes d'archétypes sur le front, elles seront coincées comme un papillon dans un bocal. Qu'elles se détrompent. Adopter un archétype, ce n'est pas s'étiqueter. C'est tout l'opposé. Les archétypes sont des modèles, des images qui nous guident à travers nos vies. Reconnaître sa vraie nature et l'autoriser à s'épanouir, à éclore, font partie de la beauté de vivre à un niveau supérieur. On devient alors le héros ou l'héroïne d'une saga mystique ; les sadhus indiens font tout pour imiter (physiquement, spirituellement) leurs dieux, leurs archétypes en quelque sorte, afin de se rapprocher d'eux.

Carl Jung était convaincu que les archétypes sont des mémoires habitées, des concentrations universelles d'énergie psychique représentées par des symboles universels, et qu'elles peuvent être observées dans les rêves et les mythes. Chacun de nous, affirmait-il, a au moins un archétype qui somnole en lui jusqu'à ce que celui-ci soit réveillé par une situation quelconque. Ce que vous faites dans la vie serait une représentation à plus ou moins grande échelle de la combinaison de vos archétypes.

Ulysse, Marie-Madeleine, Robinson Crusoë... qui rêviez-vous de devenir lorsque vous étiez enfant ? Quels étaient vos héros, vos dieux, vos idoles ? Quels livres, quels films, quels contes vous ont le plus impressionné ? Ces archétypes font partie de vous maintenant ; il faut donc les connaître et les prendre en compte pour mieux comprendre ce que vous êtes ou voudriez être. Vivre selon des archétypes ne signifie pas manquer de personnalité ou d'originalité. Nous ne serions pas ce que nous sommes si nous avions passé notre jeunesse sur une île déserte. Pourquoi nous avons adopté, subi, gardé ou bien rejeté certains archétypes, voilà ce qui est intéressant, voilà ce qui fait notre individualité.

Essayons de découvrir ces archétypes ; nous serons alors plus aptes à réaliser à quel point telle personne, tel héros, tel saint, tel écrivain, tel personnage de roman ou de film nous a inspiré, transformé, même.

Suggestion de listes « Mes archétypes » à faire sur :

- Mes héros et héroïnes préférés
- Mes films et romans préférés
- L'archétype du bonheur selon moi
- Description d'un petit autel rempli d'objets et qui représenteraient le centre de mon moi
- Paroles que mon (mes) archétype(s) m'adresserait(ent)

- Paroles que cet archétype exprime à travers moi
- Choses que je voudrais demander à mon archétype lorsque je suis perdu
- Actes de mes archétypes
- Pensées de mes archétypes

Mes rêves et mes cauchemars

> « Qu'il est bon de croire aux histoires du Loch Ness, d'avoir des frissons nés de mystères aquatiques qui redonnent corps au sacré. »
>
> Jean-Yves Renault, *La Guérison par l'écriture*

C'est très simple : dans une rubrique « Mes rêves », notez et datez chaque rêve et, si nécessaire, les événements qui ont occasionné ces productions nocturnes. Faites la même chose pour vos cauchemars. Des images notées avec soin, de manière condensée, permettront à celui qui les a écrites non seulement de créer de l'ordre dans ce qui lui semblait être chaotique, mais d'en faire de la poésie.

Une fois que les images d'un rêve ou d'un cauchemar seront ordonnées, les contradictions réarrangées, après que vous aurez trouvé le moyen de faire coexister des sentiments contradictoires de manière harmonieuse, vous pourrez métamorphoser ces énergies négatives en une forme d'expression créative. Il vous suffira de trouver un titre au cauchemar pour qu'il devienne un poème. Si le cauchemar reste inachevé, inventez-lui une *happy end*.

Je rêve que tu es près de moi.
Des gens sont venus me chercher pour m'emmener.
Ils rient, parlent fort, j'ai peur.

Je me réveille. Je note le rêve. Et j'ajoute deux lignes plus bas :

Mais je sais que tu ne me laisseras pas partir.
Tu les auras fait fuir.

Mes désirs et mes rêves les plus fous

« C'est dans l'inachevé qu'on laisse la vie s'installer. »

Vladimir Jankélévitch

Qui ne porte en son cœur un désir ou un rêve qu'il espère voir se réaliser un jour à son réveil ? Si vous avez toujours été trop sage ou trop sérieux, pourquoi ne pas faire une liste de toutes les folies que vous aimeriez réaliser ? Il n'est jamais trop tard pour se mettre à la recherche de l'insolite et ne pas avoir peur de paraître fou ou excentrique. Il faut savoir parfois apprendre à se débarrasser du carcan de la raison, à débroussailler l'inconnu pour aller plus loin. En composant cette liste, cessez de penser, de réfléchir, de cogiter. Laissez les mots, les images, les rêves venir d'eux-mêmes. Vous n'êtes pas seulement la personne à l'image raisonnable que vous offrez au monde ou que le monde vous renvoie. Vous êtes aussi un, une, ou plusieurs autres personnes, cachées de vous comme des autres. Pourquoi ne pas les inviter, elles aussi, à se manifester dans le tableau que vous faites de vous ? Tout est permis : le tour du monde à bicyclette, une vie d'ermite dans les montagnes de Chine, travailler dans un pub à Manhattan, reconstruire un buron en Auvergne... C'est en faisant une liste de tous ces différents moi, y compris les plus extrêmes ou les plus fous, que vous découvrirez qui vous êtes vraiment et pourquoi vous avez fait ou esquivé certains choix dans votre vie.

Certains de ces désirs (ou de ces rêves) sont plus forts que d'autres, mais même si ce ne sont que des rêves, ils sont des manifestations bien réelles de notre mental qui génèrent parfois certaines de nos forces les plus puissantes : tant qu'ils ne voient pas le jour (du moins certains), ils ne nous laissent pas en paix. Noter ces rêves, puisqu'ils font bel et bien partie de nous, est nécessaire dans tout travail d'introspection : c'est grâce à eux que nous sommes capables d'appréhender l'avenir avec enthousiasme et optimisme. Ne plus rêver, ne plus désirer, c'est mourir.

Suggestion de liste « Carnets de mes rêves les plus fous » :

- Toutes les folies que j'aimerais faire
- La personne que j'aimerais être
- Les vies que j'aimerais mener
- Les choses qui me permettent de m'échapper du carcan de la raison

Mon moi et le monde de l'irrationnel

> « Quand on ne croit plus aux mystères, on meurt. »
>
> Albert Einstein

La condition humaine fait de chacun de nous un métaphysicien – nous avons tous été témoins, à un moment ou à un autre, de manifestations étranges : coïncidences, prémonitions, mystères, jeux du hasard... Ces phénomènes, bien qu'inexplicables, font eux aussi partie du réel. Leur prêter attention enrichit notre vie et y ajoute une dimension supplémentaire. Nous avons tous en nous l'intime conviction que le monde n'est pas forcément ce qu'il semble être, et qu'il ne tiendrait parfois qu'à soulever un voile pour que la réalité devienne autre.

Suggestion de listes « Du domaine de l'étrange » (datez-les ; cela peut vous permettre de faire des recoupements, de constater des phénomènes récurrents) :

- Phénomènes étranges de ma vie
- Coïncidences
- Intuitions
- Prémonitions
- Hasards
- Tirages du Yijing, tarot...
- Jeux de hasard : chance, malchance
- Visites chez une voyante
- Prédictions

Les retombées magiques de certaines listes

> « Les événements les plus riches arrivent en nous bien avant que l'âme ne s'en aperçoive. Et quand nous commençons à ouvrir les yeux sur le visible, déjà nous étions depuis longtemps adhérents à l'invisible. »
>
> Gabriele D'Annunzio, *Nocturne*

« Et le verbe se fit chair »... N'oublions pas que le mot est créateur. Par le mot, par le verbe, nous pouvons modifier la réalité de notre vie. De tout temps les hommes se sont servis des mots pour décider de leur vie et de leur évolution. Prières, incantations, invocations, mots de pouvoir, mantras... partout dans le monde, l'énergie du mot est reconnue.

Noter des rêves, même apparemment irréalisables, peut mener à un phénomène étrange : leur réalisation. Avez-vous déjà pensé à ces choses qui sont arrivées quand vous aviez vraiment envie qu'elles arrivent ? Des choses que vous ne pouviez pas faire, mais que vous avez écrites et qui se sont réalisées ? Ainsi en va la magie de l'écriture. Mais cela peut s'expliquer : lorsqu'on met une idée en forme, on l'inscrit dans la réalité. Notre subconscient se hausse alors à un niveau supérieur et nous pousse à agir en direction de ce souhait. Si vous notez par écrit, par exemple, un de vos rêves qui a toujours été de visiter la baie d'Along, sa réalisation a bien plus de chances d'avoir lieu que si cela n'était resté que dans vos pensées. Un « rêve » écrit se transforme en projet, et plus il se transforme en projet plus il devient réalisable. Préparez un dossier intitulé « Baie d'Along », renseignez-vous sur les prix et attendez la suite... (Inconsciemment, vous commencerez peut-être même à éviter quelques petites dépenses superflues en vue de réaliser ce rêve.)

Faites-vous une liste de vœux ; datez-les ; conservez-les. Ne vous inquiétez pas des contradictions. Tout ce qu'il faut, c'est croire en l'inconcevable, en l'inimaginable, aux mystères, aux miracles. Les listes de souhaits ont plus de potentiel qu'il n'y paraît. Derrière chaque mot se cache une énergie. Tout ce que nous désirons, une fois écrit, est chéri et jaugé avec le plus grand soin. Nos mots sont comme le ciment et les briques de nos rêves. Une fois qu'une décision est mise sur le papier, ce n'est plus qu'une question de temps avant qu'elle se mette en action. Notez ce que vous désirez aussi expressément que possible. Plus la vision sera précise, nommée, décrite, plus elle aura de chances de devenir réalité. Revenez souvent sur cette liste.

J'ai connu un jeune homme qui rêvait de posséder une Ferrari. Pendant plusieurs années il a vendu tout ce qu'il trouvait dans les vide-greniers, les poubelles et il le revendait dans les marchés aux puces de Tokyo, économisant le moindre yen. Un beau jour... il était au volant de son bolide.

Mais les retombées magiques des listes ne se limitent pas aux rêves matériels. Noter le désir de voir se réaliser un événement d'ordre sentimental peut entraîner sa réalisation. Les Japonais sont convaincus de cela. Ils ont même pour cela coutume, le septième jour du septième mois (le 7 juillet), d'accrocher à un arbre dans les cours des temples bouddhistes, lors de la fête de Tanabata (la légende veut que tous les sept ans, deux amants séparés traversent les fleuves du ciel pour se revoir), des prières, sous forme de listes, pour qu'un amoureux du passé, par exemple, se souvienne d'eux, ou pour qu'il revienne. Au Japon, on dit qu'il ne faut jamais redouter quelque chose si l'on veut que cette chose n'arrive pas. Encore moins prendre note de ces craintes.

Si vous ne voulez pas que votre amant vous trompe, il faut surtout ne pas imaginer qu'il vous trompe. Si vous craignez qu'il vous trompe, il vous trompera.

Ne noter que ce que l'on souhaite voir se réaliser est donc plus que sage : c'est créer ce qui va se passer.

Certains temples distribuent même des carnets de feuilles de papier comestibles (ressemblant à des hosties très fines), sur lesquelles est imprimé un vœu. En avaler une chaque jour pendant une certaine période, en se concentrant sur ce qu'elle demande, permettrait de voir la réalisation de ce vœu. Charlatanisme ou croyance dans le mystère et la force de la pensée, à chacun de juger. Personnellement, je pense qu'il vaut mieux croire aux mystères que se fermer à toute forme de croyance en construisant autour de soi le mur de sa propre prison. À bien y réfléchir, qu'avons-nous à perdre à croire aux mystères ?

Suggestion de listes « Mes vœux les plus chers » :

- Ce que je voudrais faire un jour
- Ce que je voudrais devenir un jour
- Ce que je voudrais voir se réaliser

Sur le chemin des temps

Parler de ses souvenirs pour ne pas les perdre

> « Reiko n'avait jamais tenu de journal et se voyait privée du plaisir de lire et relire le détail de son bonheur des derniers mois. »
>
> Yukio Mishima, *Patriotisme*

La mémoire apporte de l'ordre dans la pensée, elle nous aide à contrôler notre environnement et à vivre, tout simplement. Même se rappeler de petites choses, une date, le nom d'une plante, l'emplacement des clés, fait jaillir en nous une étincelle de satisfaction. Comme un muscle du corps, la mémoire se travaille, et faire des listes, rechercher des souvenirs oubliés, accomplir l'effort de rassembler toutes sortes de données afin de comparer, de choisir, la renforcent. Sans mémoire, que serait notre imagination ? De plus, soulager sa mémoire en prenant des notes pour faire place à du nouveau apporte une fraîcheur très revitalisante.

Mais la mémoire vieillit-elle ?

On dit qu'un esprit non exercé se « rouille » après l'âge de vingt ou quarante ans par manque d'entretien (il est même surprenant qu'il fonctionne encore aussi bien !). Mais on constate que la mémoire des personnes âgées restant actives et gardant l'esprit ouvert ne faiblit pas.

Le mécanisme de la mémoire fonctionne grâce à des processus de liaison et d'association ; moins il y a d'éléments dans les réserves mnémoniques, moins de nouveaux éléments ont de chances d'être enregistrés et reliés aux autres. À l'opposé, plus une personne entretient la masse de son savoir, plus elle est en mesure d'absorber et de manipuler de nouvelles connaissances. Le fait de contrôler une masse d'informations sans cesse grandissante facilite considérablement l'assimilation d'autres connaissances, chaque nouvel élément étant absorbé dans un contexte déjà existant et porteur d'éléments significatifs. C'est ce qui se passe avec la boule de neige : plus elle roule, plus elle grossit, plus son poids l'entraîne. Plus une personne parle de langues étrangères, par exemple, plus il lui est facile d'en maîtriser de nouvelles.

La romancière canadienne Nancy Huston, qui vit depuis des décennies en France, explique que les personnes résidant de façon permanente à l'étranger, et qui n'ont donc jamais l'occasion de reparler avec leurs proches des souvenirs de leur passé, se lassent de relater des expériences qui ne disent rien aux autres et finissent par les garder pour elles, les laissant mourir.

Renouer avec des amis d'enfance, parler du passé, mettre à jour ses notes, ses photos... et faire des listes, bien sûr, sont des activités nécessaires pour ne pas laisser mourir une partie de soi.

Il est indispensable d'entretenir le jardin de sa mémoire, de raviver, comme une fleur qu'on arrose, ses bons souvenirs, sous peine de les faire complètement disparaître. Les avantages tirés de la réactivation des connaissances à travers les notes sont immenses. La mémoire est comme un film. Conversations, sentiments, sensations, tout ce que l'on porte en soi devrait être aussi accessible que ce qui est enregistré sur une bande de magnétophone. « Arrière », « Avant », « Rapide »... tout peut ou devrait être là ! Les listes, parce qu'elles sont elliptiques et signes de rappel seulement, au contraire des descriptions, ne font que les réactiver. Elles nous laissent le choix de « revisionner » ces souvenirs tels que nous le souhaitons à des moments divers de notre vie.

Suggestion de listes à faire sur :

- Proverbes
- Maximes

Listes, analogies et regroupements

Une liste donne un objectif : elle ne dit pas ce qu'il faut comprendre. Elle place seulement les éléments sous certaines classifications. Mais en la relisant, notre subjectivité met en rapport les faits, leur permettant de résonner entre eux, intégrant les émotions qui les relient. En associant des noms, des personnes, des souvenirs, on découvre ce que l'on aimait ou détestait depuis longtemps sans vraiment en avoir jamais pris conscience.

Des personnes connues dans mon enfance, comme la voisine Mme Légaret, ou la tante Louise, Huguette, puis, plus tard, la lecture des *Papiers de Henry Rye* de George Gissing me firent réaliser mon amour des petits intérieurs soignés, tranquilles, où tout est à sa place, minutieusement et méthodiquement rangé, nettoyé, respecté. D'où mon attirance pour ce type de vie frugale, simple, sans questionnements métaphysiques, mais néanmoins paisible et « zen ». Tant d'éléments de notre enfance et de nos expériences sont les faits déclenchants de notre vie actuelle, de nos tendances, de notre manière de penser...

Nos souvenirs ne sont pas linéaires dans la « chronologie » de notre mémoire. Ils semblent nous revenir par circonvolutions, associations, regroupements.

Comment toutes ces informations sont stockées, l'état actuel des connaissances scientifiques ne permet pas de l'affirmer (elles seraient même stockées dans chacune des cellules de notre organisme), mais ce qui est sûr, c'est qu'elles ne le sont pas dans une continuité chronologique. D'où la logique des listes plutôt que la linéarité d'un journal.

Quand vous décrivez des lieux que vous avez visités, le déroulement d'une soirée entre amis, vous ne commencez pas par une « relecture » de ces souvenirs. Vous en faites un tableau général, traçant à grands traits les personnages principaux, le cadre et les événements, y ajoutant des détails descriptifs. Pensez, par exemple, à la série d'images qu'évoque pour vous le mot « jeunesse » : un mot de rappel qui va faire ressurgir toutes sortes de souvenirs. Mais vous n'allez pas faire des phrases pour vous remémorer ceci ou cela. Des noms, des images, des sensations... voilà ce qui va immédiatement venir à votre esprit. Mais certainement pas des mots ou des formules verbales précises. Ce ne sont pas les structures de la langue parlée, avec son sujet, son verbe et son complément qui servent de support à la mémorisation d'idées et d'images. Ces idées et images surgissent dans notre cerveau bien plus rapidement que toute phrase dans laquelle toutes sortes d'articles, adverbes ne sont là que pour la construire autour de mots clés. Si vous décrivez un repas en disant : « En entrée, il y avait des fruits excellents venant directement de la mer, puis un rôti accompagné de petits légumes du jardin préparé par grand-tante, ensuite... », la personne qui écoute cette description n'aura pas une idée aussi claire du menu que si vous lui dites simplement : « fruits de mer, rôti pommes de terre, salade, fromage et tarte au citron ». Quatre-vingt-dix pour cent des mots sont inutiles à la mémorisation et s'immiscent de plusieurs secondes entre les mots clés qu'ils isolent, affaiblissant ainsi notre faculté de faire la connexion entre les idées pour les associer les unes aux autres.

Notre cerveau ne traite pas le langage sous forme de listes ou linéairement. Il intègre des concepts clés et insère les informations par enchaînement, par adjonction d'éléments à d'autres. Le principe des « pas japonais » consiste donc à regrouper tout ce dont vous vous souvenez autour d'une idée, sous forme « holographique » sur une grande feuille de papier, et de noter au milieu de la feuille un thème central (par exemple le mot « vacances ») sur lequel vous grefferez d'autres éléments sous forme de ramifications ; ensuite, à l'aide des mots clés, vous serez apte à définir une structure de vos souvenirs et à noter les éléments dans une liste selon l'ordre qui vous convient. Vous serez surpris du peu de temps que cela prend ! L'esprit doit rester libre à toute forme de créativité.

Je me souviens, de Georges Perec

Je me souviens, de Perec, est la liste de 480 souvenirs non seulement de l'auteur, mais de ceux d'une époque, des bribes d'un passé commun sinon à tous, du moins à beaucoup : de petits morceaux du quotidien, des choses que toutes les personnes d'une même époque et du même âge ont vécues, partagées puis oubliées. De trop petites choses pour valoir la peine d'être notées, mémorisées, et qui pourtant reviennent, intactes et minuscules, par hasard, entre amis : des choses apprises à l'école, entendues à la radio, des scandales, des expressions, des modes, insignifiantes mais suscitant des années plus tard une impalpable petite nostalgie. (Si j'ai choisi les extraits qui suivent, c'est qu'ils me rappellent la première décennie de ma vie : les sorties au cinéma avec l'école, le p'tit chien dans la vitrine que me chantait ma mère, le lait que nous allions chercher à la ferme voisine avec ma grand-mère...)

« Je me souviens
Du Docteur Schweitzer
Je me souviens
Des actualités au cinéma
Je me souviens
Que nous allions chercher du lait dans un bidon en fer-blanc tout cabossé
Je me souviens
Combien pour ce chien dans la vitrine, ce joli p'tit chien noir et blanc... [1] »

Artistes, intellectuels, architectes, poètes, procréateurs... chaque être humain ressent le besoin instinctif de léguer une partie de lui-même à la postérité. Mais l'empreinte la plus belle qu'il puisse laisser est une parcelle de lumière, de bonheur, de beauté. Nulle vie n'est vaine. Les listes nous le prouvent, même si, un jour, elles se réduisent, comme nous, à une poignée de cendre.

1. Georges Perec, *Je me souviens*, Hachette littératures, Paris, 1998.

Troisième partie

Les listes pour... prendre soin de soi

Les listes, de merveilleux outils d'autoanalyse

Écrire pour corriger sa propre myopie

> « Quand j'écris dans ces cahiers, je m'écris
> Mais je ne m'écris pas tout. »
>
> Paul Valéry, *Cahiers*

Chaque jour, chaque vie est une série de choix et les décrire sous forme de notes est comme une sorte de thérapie, parfois certes épuisante, mais qui peut nous apporter un certain équilibre. Écrire connecte à soi-même. Cela amène à s'approfondir, à faire de nouveaux choix. Écrire invite à mieux se respecter, à détecter ses propres défauts, ses défaillances, ses manques, ses lacunes. Bref, écrire aide à corriger sa myopie, à sortir de sa paresse intellectuelle, à prendre conscience de ce qui se passe autour de soi et en soi.

Écrire, c'est réfléchir deux fois

« Chacune de nos pensées, chacune de nos paroles crée l'avenir. »

Louise Hay, *Transformez votre vie*

Une émission de télévision japonaise expliquait un soir que le but de la lecture et de l'écriture était de mieux vivre. Cette petite phrase m'est toujours restée. Si lire et penser sont des activités indispensables pour évoluer, écrire aide surtout à clarifier ses pensées, à les cristalliser.

En prenant des notes de vos lectures, par exemple, vous ferez vôtres les idées qui retiennent votre attention ; elles vous resteront en profondeur, bien plus que si vous vous étiez contenté de reposer le livre après sa lecture. Cette prise de notes vous obligera à vous poser, à pendre le temps de réfléchir. On doit et on peut constamment se remettre en question, affiner son mode de pensée.

Supports hybrides de nos pensées où s'accumulent, au fil du temps, sentiments, réflexions, notes, notations, ébauches de projets, poésies..., nos écrits emmagasinent une réserve de matériaux mobiles et provisoires, et constituent, bien qu'incomplets et lacunaires, toute une panoplie de « brouillons de soi ». Si vous reprenez ces « brouillons » et que vous les réorganisez sous formes de listes (liste de mes peurs, de mes colères, de mes responsabilités...), ils deviendront de véritables objets d'analyse. Vous rassemblerez, emmagasinerez des informations plus faciles à analyser qu'un texte en écriture libre, au fil de vos pensées. Vous ferez l'acte d'organiser concrètement votre mental, de prendre conscience de votre propre identité, et, en vous voyant sur le papier, vous prendrez du recul. C'est alors que vous pourrez commencer à changer pour éviter de retomber, une fois de plus, dans les mêmes erreurs destructrices. Le *feedback* aura fait son effet.

En faisant état non seulement de vos petites faiblesses, mais aussi de vos peurs, de vos colères, de vos doutes, vous prendrez conscience de ce qui se passe en vous, vous apprendrez à l'accepter puis à le corriger ou à le changer, si vous estimez que cela est bon pour vous, ou de ne rien changer du tout mais d'assumer en pleine conscience les conséquences de vos actes. Vos défauts, vos faiblesses feront désormais consciemment partie de vous, de votre identité. Si vous reconnaissez que ce que vous faites vous dérange, ces « reconnaissances » vous donneront le moyen de vous méfier consciemment du tort ou du mal que vous vous faites.

Vous allez donc commencer par faire une liste de tout ce que vous remarquez en vous, y compris vos qualités et vos défauts, des réactions contraires à vous mais que vous avez exprimées ou ressenties lors d'une colère, d'un conflit. Surtout, en notant cela, ne jugez pas la personne que vous étiez dans ces moments-là. Vos listes révèlent la personne que vous êtes derrière les masques que vous portez dans la société, dans votre entourage. Aimez cette personne que vous êtes seul à connaître. Acceptez-la. Soyez indulgent envers elle. Regardez-la avec un cœur d'adulte, avec compassion et amour. Vous voyez les choses aujourd'hui avec plus d'objectivité que cette personne n'en était capable, elle, sur le moment. Toutes les erreurs sont nécessaires, les balbutiements, l'aveuglement. Nous sommes, comme la nature, en constant changement. Nous n'avons pas à devenir un être idéal. Personne ne nous demande d'être ceci ou cela. Il en est ainsi de la nature humaine que d'avoir toutes sortes de contradictions. Mais faire preuve de maturité, c'est en être conscient et s'efforcer de vivre le plus harmonieusement possible avec tous les moi que l'on porte en nous.

Écrire pour se fixer des repères

« Saisir le temps dans les mailles de la phrase. »
Patrick Modiano

Pourquoi écrire sur sa vie, dresser une sorte de bilan général ? Nous la connaissons bien, cette vie... L'expérience, cependant, mérite d'être tentée : l'écriture d'un parcours de vie donne à son auteur une sorte de vision générale, nouvelle, panoramique. Ce bilan permet souvent de mieux comprendre comment notre vie s'est déroulée en vertu de la loi de cause à effet. Nous pouvons mieux réaliser, alors, comment, sans nous en apercevoir, nous avons bel et bien été l'auteur de notre vie ; nous comprendrons mieux que ses aléas ne doivent finalement rien au hasard. Et que peut-être, aussi, nous avons été manipulés par le système dans lequel nous vivons.

Nous évoluons dans un monde qui essaie de nous convaincre que nous sommes malades, stressés, en retard sur le temps, sur notre époque, qui nous rabâche à tout instant que nous devrions changer, adopter telle philosophie, telle politique, telle religion, telle attitude. Nous ne savons plus ni quoi penser, ni à quel saint se vouer, ni quel style de vie adopter. Mais les réponses aux questions que nous nous posons sont en nous. Écrire, ce n'est pas réclamer son dû au monde, c'est se le réclamer à soi. C'est un des moyens de se reconnecter à soi-même et à une dimension supérieure de son être. Nous avons besoin de retrouver un sentiment d'unité, de nous recentrer sur nous-mêmes.

Pendant les périodes de difficultés, de tensions, de crises, que ce soit sur un plan collectif ou personnel, l'important est de rester centré, de garder son calme et sa paix intérieure, de ne pas se laisser influencer ou emporter par les circonstances extérieures, aussi dramatiques soient-elles, ni par les énergies et les émotions négatives.

Ce n'est pas une tâche facile, mais lors de circonstances éprouvantes on peut trouver de l'aide à l'intérieur de soi, l'aide la plus sûre et la plus solide qui nous soit accessible. D'où les bienfaits d'une pratique personnelle régulière comme écrire. Écrire apporte clarté et passion quant à l'acte de vivre, ancre ou libère des chaînes du rationnel, du quotidien, des autres. Écrire aide à vivre avec plus de vigueur et d'optimisme, à trouver une force, un équilibre, à définir ses propres repères, à se reconnecter à son intuition. Nos mots sont nos compagnons de route, nos garde-fou. Quelques phrases suffisent parfois pour se sentir exister.

Les structures, sous forme de listes, expriment non seulement l'ordre, elles le créent. Ce n'est pas un jour qu'il faudra se « trouver ». La difficulté est de rester conscient toujours et encore plus. C'est en soi que réside le siège de l'âme, l'union de tous les temps, de tous les lieux.

Pratiquer l'écriture, noter ce que l'on fait, ce que l'on ressent, ce dont nous rêvons font partie des « récoltes » de l'existence. Retrouver ses codes, des clés de rappel, consigner une foule de petites choses permettent de donner vie à ses pensées, à son sens de la poésie, à sa propre philosophie. Chemin vers la connaissance de son moi, des autres, du monde, ces milliers de petites notes deviennent alors comme une bible à soi, une bible de soi, un vade-mecum. Elles reflètent l'univers que nous nous sommes créé et que nous continuons à construire. Elles constituent *le* livre unique et original, parce que nôtre, qui à lui seul pourra nous permettre de retrouver cette unité, cette harmonie, ce sens de soi que nous avons oublié, parce que évoluant le plus souvent dans un environnement au rythme effréné et à la superficialité grandissante. Les listes, parce qu'elles sont « fixes », nous aident à retrouver des repères, les nôtres ! Elles nous apportent un sentiment d'unité, rendant notre propre mode de vie, de pensée, direct et spécifique.

Suggestion de listes pour se fixer des repères :

- Mes projets de carrière
- Mes projets de voyage
- Mes projets d'habitat
- Les personnes sur lesquelles je peux compter
- Ce qui m'appartient en propre (connaissances, biens matériels)
- Ce que les expériences les plus fortes que j'ai vécues m'ont apporté
- Les personnes que je respecte pour leur bon sens et leur équilibre
- Les solutions en cas de perte d'emploi, de conjoint, d'amant...
- Mes supports psychologiques (liste de citations qui m'interpellent)
- Ce que je ressens dans certaines situations
- Ce que je voudrais ne jamais refaire dans ma vie

Écrire pour se prendre en charge

> « Avant d'apprendre des choses compliquées, apprenez à lire les lettres d'amour envoyées par le vent et la pluie, la neige et la lune. »
>
> Ikkyu, maître de thé japonais

Dans les cultures anciennes, une personne devait maîtriser ses pensées et ses sentiments. Dans la Chine de Confucius et la Sparte antique, chez les Romains et les pèlerins fondateurs de la Nouvelle-Angleterre, chez les aristocrates britanniques de l'ère victorienne, les gens avaient le devoir de contrôler étroitement leurs émotions. Se plaindre de son sort ou se laisser guider par ses instincts faisait perdre à quelqu'un le droit de fréquenter la communauté.

Chacun de nous est capable d'avoir le contrôle de ses émotions, et pour cela de faire un travail sur ses sensations, ses pensées, ses intentions. Il peut en changer la qualité. Mais, une fois de plus, il lui faut d'abord prendre conscience des choses telles qu'elles sont et telles qu'elles pourraient ou devraient être.

Faire le bilan de sa vie sous forme de listes nous permet de mieux réaliser la responsabilité que nous avons de notre propre vie, qui nous rend plus adultes.

Écrire, se poser, s'imposer un travail de réflexion, et toujours avoir présent à l'esprit que ce n'est qu'en faisant un effort sur soi que l'on obtient davantage de paix intérieure et de joie de vivre, voilà ce dont nous avons besoin. C'est par soi que l'on peut et que l'on doit trouver son propre équilibre et donc sa santé, se prendre en main et apprendre comment utiliser les ressources qui sont déjà là, en nous. Mais nous devons nous en donner le temps, ne pas fuir en « achetant » des solutions de facilité qui, à la longue, ne font que compliquer les problèmes et les rendre encore plus insolubles. Personne ne peut dire à notre place pourquoi nous vivons, quel karma nous traversons, quelles épreuves nous devons affronter pour mûrir et évoluer.

Écrire est un des meilleurs moyens pour chercher à résoudre ses problèmes par soi-même. Que transportons-nous dans nos têtes, nos cœurs ? Pourquoi ?

Ce sont nos propres choix qui nous pèsent. De quoi pouvons-nous nous passer pour nous sentir plus en vie, plus légers ? Nous sommes constamment appelés à nous réajuster, à revoir nos priorités. Mais n'est-ce pas cela, précisément, vivre ?

Suggestion de listes « Mes responsabilités » :

- Les choses dont je suis responsable dans ma vie
- Les choses dont je ne suis pas responsable
- Les choses desquelles je veux dégager ma responsabilité

Suggestion de listes « Mes fardeaux » :

- De quoi je peux me passer pour me sentir plus en vie
- De quoi je peux me passer pour me sentir plus léger
- Ce que je transporte constamment dans ma tête et pourquoi
- Ce que je transporte dans mon cœur et pourquoi

Écrire pour mieux énoncer les choses

« Une huître
C'est la petite auberge
D'une bête qui vit dans les algues »

Haïku d'Ichu

Les listes nous forcent à définir, à clarifier. Elles nous invitent à observer la vie avec plus de clairvoyance, à élargir notre conscience par circonvolutions, réflexions, questionnements, explorations ; elles nous aident à trancher dans nos choix, à choisir les mots, à devenir plus précis.

Amusez-vous, par exemple, à décrire la table à laquelle vous êtes assis en ce moment : comment sont sa forme, sa structure, quels sont ses attributs, que vous évoque-t-elle ? Prendre note par écrit de ses pensées est un moyen de les capter et de les rendre réelles. Sinon elles ont tendance à rester dans le flou. Mais il faut aussi apprendre à les nommer, à les ordonner, et par là les contrôler, les « posséder ». Une fois qu'une pensée, une chose, est nommée, elle devient nôtre ; nous entretenons alors avec elle un sentiment de propriété, de relation.

Rééditer le contenu de sa mémoire ou de ses notes sous forme de listes entraîne à la rigueur et à l'intégrité. Sans longs paragraphes, on ne peut plus « délayer » les faits, il faut les nommer. On ne peut plus se mentir, se cacher les choses telles qu'elles sont, en les enrobant d'interprétations. Même l'inexprimable peut être saisi dans une rubrique spéciale : faites la liste de ce que vous ressentez avec les mots que vous avez pour le moment dans une colonne de gauche, puis attendez, laissez en jachère, même pendant plusieurs semaines. Au moment où vous vous y attendrez le moins, l'expression ou le mot exact jaillira.

Suggestion de listes concernant l'impalpable, l'inexprimable

- Ma « collection » de mots ou expressions se rapportant aux émotions
- Les personnes ou situations qui m'inspirent une émotion sur laquelle je ne peux mettre de mots pour le moment (laisser une colonne à droite à remplir plus tard)
- Lexique qui peut m'être utile
- Images correspondant à certains de mes sentiments

Écrire pour être lucide

> « Je note la date, le lieu et l'heure ; et je commence à consigner – j'aime ce mot – une foule de petites choses, de pensées, de sensations d'hier et d'aujourd'hui. Je suis le greffier du temps ; le greffier de ma vie. [...] fascination de la trace [...] fixe du passé, du vécu, du ressenti [...] nourrir la connaissance du moi, des autres, du monde. »
>
> Philippe Lejeune, *Cher cahier*

Le travail sous forme d'écrits (le style, le choix des mots, des images et analogies, l'agencement des phrases, la concision), parce qu'il oblige à être plus précis avec soi-même, génère, de par chacune de ses améliorations, plus de lumière en soi.

Tracer une carte de ses malheurs et de ses bonheurs, clarifier ses statu quo, voir quand le vase est plein incitent à changer. Les thérapeutes de l'écriture nous font prendre conscience que nous sommes les auteurs de nos propres vies, ils nous aident à récrire cette vie, à la vivre de manière plus active, plus personnellement satisfaisante.

L'acte d'écrire aide non seulement à dominer son esprit mais à éclairer son mental. Le poids émotionnel des souvenirs de l'enfance détermine en grande partie le type d'adulte que nous sommes et aussi le mode de fonctionnement de notre esprit. Il faut donc en faire état pour reconnaître sa propre histoire. Ce rappel du passé peut devenir un processus très positif. N'est-ce pas pour cela que nous prenons des photos, collectionnons des souvenirs, faisons de notre maison un musée de famille ?

Un bon dossier du passé peut fortement contribuer à l'amélioration de la qualité de la vie. Il libère de la tyrannie du passé, et donne la possibilité à notre conscience d'y revenir au besoin. Il rend possible la sélection d'événements plaisants et significatifs et permet ainsi de reconstituer ou de « créer » un passé qui aide à affronter le futur. Ce n'est qu'en comprenant notre passé qu'on peut sainement construire son avenir, comprendre sa vie et ses erreurs éventuelles.

L'harmonieux assemblage de ce que l'individu a accompli et de ses échecs au cours de sa vie devrait donner lieu à une histoire qui a un sens et qu'il considère comme sienne. Une analyse indépendante, c'est non seulement possible mais c'est en plus extrêmement gratifiant : on se sent maître de son propre destin sans dépendre de qui que ce soit pour être, sinon heureux, du moins serein. Et cela apporte une immense énergie. Le plus important, en dressant ces listes d'introspection, est d'être parfaitement honnête avec soi-même, de ne pas se mentir. Efforcez-vous de toujours vous dire la vérité, même si cela vous fait du mal, même si cela est dur. N'ayez pas peur d'écrire aussi des choses dérangeantes, que vous auriez préféré occulter. Sinon, comment avancer ?

Vous pouvez faire des listes à deux colonnes, les « pour » et les « contre », les événements tels qu'ils ont pris place et tels que vous les avez ressentis : faits à gauche, interprétations personnelles à droite. Mettre les faits sur le papier, noir sur blanc, c'est comme tendre une torche dans le gris de son flou mental.

Suggestion de listes « Lucidités » commençant par :

- Si je veux bien le reconnaître...
- Si cela n'était pas trop dangereux, je dirais que...
- Je ne suis pas prêt mais un jour, je...
- Mes manques et mes limites
- Mes faiblesses
- Mes peurs
- Mes appréhensions
- Les images qui me reviennent le plus en tête
- Les aventures qui ont influencé, inspiré, changé ou façonné ma vie

Ne soyez plus victime de vos émotions

Dressez l'inventaire de vos émotions

> « Choses qui émeuvent profondément :
> Tard en automne les gouttes de rosée qui brillent comme des perles de toutes sortes sur les roseaux du jardin
> S'éveiller à l'aube
> Un village dans la montagne sous la neige. »
>
> Sei Shonagon, *Notes de chevet*

Peurs, frustrations, colères ou angoisses sont des énergies mentales qui peuvent être dominées ou expurgées. Mais il faut d'abord les identifier. Alors, dit le zen, la transformation viendra d'elle-même. Cela ressemble au jardinage : retirer les mauvaises herbes et les cailloux, bouturer, tailler, élaguer, arroser le sol pour le préparer à la pousse. C'est la même chose dans la vie, il faut d'abord commencer par retirer ce qui nous empêche de nous développer, et pour cela être capable de l'identifier.

Nous possédons tous en nous une force que nous ignorons la plupart du temps. Plus nous travaillons sur notre vie, plus nous en acceptons les responsabilités, et plus grandes seront nos perspectives. S'alléger, c'est pour cela que les listes sont faites : remuer, trier, extraire, balayer, jeter, expulser, purger.

Dans les cultures occidentales, la plupart des gens pensent que les émotions sont ce qui donne son piment à la vie et pour rien au monde ils ne voudraient y renoncer. Ils pensent que la vie ne serait rien sans les émotions. Mais ils savent pourtant que ce sont leurs émotions qui les font souffrir, qui les affaiblissent. Avoir des émotions et ressentir la joie, ce n'est pas la même chose. Nous pouvons changer, accepter ce que nous ne pouvons changer et tourner le dos au reste pour obtenir la sérénité. Être humble et posé, laisser ces qualités être nos guides et nos thérapeutes, cela changerait tant la qualité notre existence !

La seule façon d'arriver à prendre intimement connaissance de ce qui nous dérange (ressentiment, dépit, jalousie, énervement...) est d'essayer de comprendre pourquoi et à quels besoins cela répond. Nous n'avons pas besoin de chercher à annihiler ces sentiments négatifs, mais seulement de bien en prendre conscience. Nous serons alors plus aptes à ne plus agir de façon aussi impulsive lorsqu'ils referont surface. Les pensées négatives nous affaiblissent. J'ai souvent constaté que j'attrapais un rhume à la suite d'une contrariété (dispute, vexation, échec...). Certains médecins expliquent que lorsque nous nous faisons du souci (de la « bile »), ces pensées créent dans le cerveau des substances qui acidifient le sang et qui, donc, ont des conséquences sur notre système immunitaire.

Cessez de chercher à avoir raison dans vos relations, retrouvez de la place pour la compassion. Tout cela vous aidera vraiment à vous détacher, à faire que les problèmes n'aient plus d'emprise sur vous. Si nous parvenions à espérer et à rêver sans nous envelopper d'émotions, nous serions beaucoup plus heureux.

Liste de ce qui me rend trop émotif (et donc me fatigue)

— Trop parler de moi
— Les relations mondaines
— Les conflits avec des proches
— Les relations intimes non solides
— Critiquer ou essayer de changer les autres
— Les choses sur lesquelles je n'ai aucun contrôle mais que je m'efforce de changer
— Une mauvaise nuit de sommeil
— La fatigue due au bruit
— L'alcool

Suggestion de listes :

- Les choses qui me causent le plus de souci
- Les émotions qui contrôlent ma vie
- Les situations dérangeantes auxquelles je suis confronté
- Ce que ces situations provoquent en moi
- La solution idéale
- La solution compensatoire

Le bilan des pensées

« Lueur de la chandelle
Nuit magnifique
Cris des grenouilles. »

Haïku de Kobayashi Issa

Tristine Rainer dans *The New Diary*[1] recommande d'écrire sous forme de catharsis, forme d'écriture libre sous laquelle noter ses peurs, ses chagrins, sa confusion... La célèbre thérapeute américaine de l'écriture explique que coucher la douleur par écrit permet de retrouver un équilibre émotionnel, voire d'éviter la destruction d'une vie. En Californie, on dit qu'écrire une page à la main pendant une demi-heure le matin, d'un jet continu, a plus d'effet sur la physionomie qu'un masque de beauté. Quand vous vous sentez mieux en vous, cela se voit sur vous. Julia Cameron, elle aussi, dans son *Libérez votre créativité*, conseille d'écrire tous les matins trois pages. Elle appelle ça « Les pages ». Le but de cet exercice est d'exprimer toutes les choses qui restent en nous et que nous avons tendance à réprimer. « Les pages ne sont pas un exercice de style ou de création littéraire, ni la rédaction d'un journal, bien qu'elles puissent, à l'occasion, être ou devenir l'un ou l'autre. Mais ce n'est pas leur but. Elles ne s'adressent ni à un lecteur futur ou potentiel, ni à personne, même pas vous. Ne vous relisez

1. Tristine Rainer, *The New Diary, How to Use a Journal for Self Guidance and Expanded Creativity*, Jeremy P. Tarcher/ Penguin, New York, 1978.

pas tout de suite », recommande Julia, du moins pas avant cinq semaines. Cet exercice n'est pas fait pour satisfaire l'ego, mais, au contraire, pour le purger et le purifier de ses pollutions inconscientes.

Les pages sont aussi un exercice incomparable pour développer sa créativité, pour réveiller l'artiste caché qui sommeille au fond de chacun d'entre nous. Videz-vous la tête. Relaxez-vous puis attendez que quelque chose vienne sous votre plume. Comme les surréalistes avec l'écriture automatique, écrivez ce qui vous vient sans chercher à le contrôler, que cela ait un sens ou non. Laissez votre main écrire aussi rapidement que possible pour que votre mental n'ait pas le temps de censurer. Vous serez émerveillé de l'originalité de votre subconscient. Vous réaliserez ainsi comment vous passez d'une façon enfantine de penser à la maturité, tout simplement en notant, donc en devenant conscient de la manière dont fonctionne votre esprit.

Mais métabolisez ensuite le tout en listes : faites le bilan de vos pensées. Cela, à mon avis, est tout aussi important que faire ces fameuses catharsis. Reprenez ces catharsis et faites une liste claire et nette des idées qui vous ont traversé l'esprit. La logorrhée n'apporte pas grand-chose. C'est ce qu'elle cache qui est le plus important.

Suggestion de listes « Petit carnet bavard » à résumer sous forme de courts énoncés d'une ligne :

- Le type de pensées qui me traversent l'esprit dans la journée
- Le type de pensées que j'ai avant de m'endormir

- Le type de pensées lors d'insomnies
- Le type de pensées quand je suis en colère, frustré, angoissé
- Le type de pensées lorsque je suis au meilleur de moi-même ou dans des endroits que j'aime particulièrement

Écrire, exutoire du trop-plein émotionnel

> « La qualité de l'expression m'était nécessaire pour sauver mon identité, l'estime de moi-même et donc lutter contre la dépression. »
>
> Philippe Lejeune, *Cher cahier*

Les listes sont un moyen idéal de « vider son sac », comme d'autres le font sur le divan, de regrouper le multiple sous un tout, de combiner, d'accumuler les informations, indices, détails, pour prendre conscience et évoluer, c'est-à-dire se vider du superflu, jusqu'à ce qu'il ne reste que l'essentiel : savoir surfer sur les vagues de la vie, non seulement sans se noyer, mais en y trouvant équilibre et plaisir.

Pour mettre les choses à distance, les extraire de soi, on n'a besoin de personne. L'écriture délivre de ce qui fait mal ou de ce qui contrarie. Après avoir couché ses colères sur le papier, ses angoisses, son mal, on en ressort vidé, les mains empoissées mais la tête légère, fraîche. Quel outil libérateur !

Écrire des listes permet de se libérer, de se vider sans avoir à déverser une avalanche d'informations personnelles et intimes sur son entourage (nous regrettons souvent d'avoir trop parlé, réalisant après coup qu'on le faisait non pour apporter quelque chose aux autres, mais pour se faire du bien à soi).

Les listes aident à faire preuve de retenue, de self-control, de mystère, ou de... charme. Elles sont notre miroir, notre confident, notre directeur de conscience, notre psy, notre jardin secret. Elles nous aident à ne plus être seuls à porter le poids des souffrances ou d'un passé trop lourd.

Examinez les émotions sur lesquelles vous n'avez pas d'emprise et qui sont en ce moment la cause de vos problèmes. Observez-les, tout simplement. Maintenant retirez l'étiquette « mauvais » et acceptez ces émotions pour ce qu'elles sont. Qu'elles soient bonnes ou mauvaises, ce ne sont que des émotions. Ni plus ni moins. Au lieu de leur donner un nom, regardez-les comme des énergies et notez-les. Vous êtes devenu l'observateur. Vous ne faites que considérer vos émotions comme des énergies. En très peu de temps, elles vont disparaître. Vos sentiments de tristesse, d'anxiété ou de peur se seront dissipés juste après l'acte de les avoir observés et notés. Écrire noir sur blanc ses problèmes permet de les extérioriser. Et donc de leur retirer de leur pouvoir sur nous. Moins vous serez attaché émotionnellement, plus les problèmes disparaîtront au fur et à mesure que des solutions se feront jour. En observant la douleur, vous vous séparez d'elle. De tout on peut retirer un enseignement. Remercions-les et passons à autre chose.

Suggestion de listes « Inventaire de mes émotions » :

- Les émotions qui me traversent en ce moment
- Les émotions dont je suis le plus souvent victime
- Les émotions qui me contrôlent
- Tous les gens qui m'ont fait du mal
- Les événements qui m'ont blessé
- Les événements qui m'ont obligé à lâcher prise
- Toutes les leçons que j'ai tirées de situations où je m'étais posé en victime
- Tactiques pour ne plus être victime de mes émotions

Quant à l'amour...

> « Adopter la manière de comprendre d'une autre personne est la façon suprême de pénétrer dans son monde. »
>
> Richard Bandler, éminent médecin américain spécialiste en neurolinguistique

Mieux comprendre ce qui s'est passé entre nous et les autres, comment nous avons été aimés ou rejetés, soutenus ou étouffés... avoir la sensation d'exister, c'est aussi cela, se raconter l'histoire de sa vie et repérer les divers enchaînements qui ont fait de nous ce que nous sommes. Ne vous perdez pas en conflits insolubles. Dépassez-les. Les problèmes sur lesquels vous passez du temps et de l'énergie doivent être surmontables. Si vous n'écrivez pas, vous perdrez la trace de vous-même. C'est vous, votre conscience qui vous manque. Ne vous voilez pas la face en prétendant que c'est quelqu'un d'autre qui vous manque.

Parlez-vous à vous-même. Par exemple, lorsque vous pensez à un compagnon (ou une compagne) qui ne vous satisfait pas, écrivez : « C'est une personne de valeur, mais elle ne sait pas qui tu es. Tu penses l'aimer, mais l'amour que tu as pour lui a déformé ta perception. Il n'est pas ce que tu rêves qu'il est. Il est ce qu'il est maintenant et son comportement envers les femmes vient de problèmes qui lui sont personnels, pas de toi. Il est le seul à pouvoir se sortir de ses problèmes. Toi, tu dois veiller à atteindre tes propres buts. » Vous pouvez aussi faire une liste de ce que cette relation vous a enseigné. Ce type de listes vous fera découvrir un nouvel aspect de l'autre dont vous ignoriez jusque-là la présence.

Enfin, essayez d'acquérir une plus grande indépendance. Vous pouvez faire une liste intitulée « Déclaration d'indépendance » dans laquelle vous noterez exactement ce que vous voulez ou ne voulez pas, comme :

Suggestion de listes :

- Les amours de ma vie
- Les raisons pour lesquelles j'ai aimé ces personnes
- Les raisons pour lesquelles nous nous sommes quittés
- Les dilemmes et situations à problème non résolus
- Ce que je peux apprendre de chacune de ces expériences
- Les aspects positifs de chacune de ces expériences
- Silences et non-dits (les miens et ceux de l'autre)
- Ma « Déclaration d'indépendance »

Quand on ne peut détacher sa pensée d'une personne

« " Des lucioles en vol "
Aimerais-je dire à quelqu'un
Mais je suis seul. »

Haïku de Taïgi

Il arrive de ne pouvoir détacher sa pensée d'une personne, même lorsque l'on est occupé à travailler et donc censé penser à autre chose. On pense à ce que l'on voudrait lui dire, à ce que l'on voudrait avec elle... Faire une liste de ces pensées vous forcera à les rendre conscientes et vous en aurez alors davantage le contrôle. Une fois que ces pensées seront écrites, vous parviendrez à moins penser à cette personne et à penser davantage à vous. Vous cesserez alors de vivre « à moitié », de ne penser qu'« à moitié », de n'être qu'une sorte de « moitié de vous ».

Vous pouvez aussi écrire des lettres « fantômes » que vous n'enverrez pas. Si vous vous faites la liste de ce que vous aimeriez dire à cette personne, ces choses, même sans être jamais exprimées, changeront votre mental ; votre attitude future sera différente : vous serez plus clair avec vous-même, vous connaîtrez avec plus d'acuité vos objections, ce que vous voulez ou ne voulez pas et vous serez en position de dire non à certaines choses sans commentaires ni larmes.

Vous pouvez aussi faire la liste de ce qui ne vous satisfait pas dans une relation ou de ce qui vous met mal à l'aise. Cet exercice peut vous aider à retrouver vos propres valeurs et à agir en conséquence. Et, surtout, faites tout pour ne dépendre de personne et ne désirer que les choses que vous pouvez obtenir par vous-même.

Suggestion de listes :

- Les choses que je peux obtenir par moi-même
- Les choses que je peux changer dans ma vie pour ne dépendre que de moi-même (avec, sur une colonne à droite, les moyens d'y parvenir)
- Les choses que je ne peux pas changer chez l'autre
- Les choses qui me font dépendre des autres

Ne vous posez pas en victime

« Puisse mon amour pour vous
Ne pas devenir opprimant,
Puisque c'est librement
Que j'ai choisi de vous aimer. »

Poème de Rabindranath Tagore

Même si vous vous voulez le plus lucide possible quant à vos sentiments, évitez d'utiliser des mots qui font de vous une victime. Par exemple, ne dites pas que vous êtes « en colère, anxieux, peureux, honteux, ennuyé, confus, rejeté, dépossédé, mécontent, triste, fatigué, coupable, hostile, irrationnel, jaloux, paresseux, seul ». Évitez les mots induisant qu'une autre personne vous fait vous sentir de telle ou telle façon, comme abusé, abandonné, trahi, trompé, diminué, manipulé, incompris, surmené, rejeté, non entendu, non validé.

Lorsque vous employez ces mots pour identifier ces sentiments, cela signifie que vous donnez à d'autres le pouvoir sur vos émotions. Vous vous attirez ainsi les personnes qui suscitent ces sentiments, et vous vous laissez entraîner dans un cercle vicieux. Il est très difficile d'être heureux quand on ne maîtrise pas ses propres émotions.

À vous de choisir ce que vous voulez être. Nul ne peut vous obliger à vous faire ressentir ce que vous ne voulez pas ressentir. Au moins, vous avez cette liberté immense de choisir, vous. Si vous avez déjà décidé de rompre avec une personne parce qu'elle vous fait du mal, ne laissez rien passer. Notez tout ce qui vous déplaît en elle, vos griefs... Chaque détail aide ; lisez et relisez cette liste. Gardez-la même sur vous. Chaque fois que vous vous sentez « craquer », relisez-la. Ajoutez-y des choses que vous avez oubliées. La lire et la relire vous renforcera dans le choix que vous avez fait. Si vous voulez quitter cette personne, sortez votre liste dès que vous vous surprenez à penser à elle.

Des frustrations extériorisées ne font plus vraiment partie de nous et ne peuvent plus rien contre nous, puisque maintenant elles sont couchées et comme « emprisonnées » sur le papier. Énoncées, elles sont dénoncées ; elles n'ont plus d'emprise. Elles deviennent potentiellement contrôlables. C'est ce qui échappe à la compréhension qui angoisse et qui est le plus insupportable : ce qui ne peut être exprimé, dénommé, décrit. Le mal sur lequel un médecin a placé un nom est plus facile à traiter.

Vivre dans un cloaque émotif et être capable d'en prendre conscience permet de mieux cerner les situations et de s'en sortir ; les listes mettent en œuvre une sorte de mécanisme de survie.

Suggestion de listes :

- Ce que j'aime et n'aime pas chez cette personne (liste à deux colonnes)
- Les choses que je n'aimais pas dans la relation
- Les besoins que j'avais et qui n'étaient pas satisfaits
- Ce que j'ai perdu dans la relation
- Les qualités que j'ai et que mon (ma) partenaire ne valorisait pas
- Les choses que je rechercherai dans la relation suivante et que je n'ai pas eues dans celle-ci
- La prochaine fois que je le (la) reverrai, je lui dirai... (et donc on évite les pots cassés en ne le disant pas, puisqu'on l'a écrit !)
- Mes pensées les plus fréquentes le (la) concernant
- Mes peurs
- Mes frustrations
- Mes griefs

Quand rien ne va plus dans votre vie...

Des mots sur vos maux

> « Quand vas-tu cesser de proférer des conneries ? (Puis proclamer des insultes en latin ou... en japonais que l'on aura apprises par cœur). »
>
> Fred Vargas, *Petit Traité de l'ennui*

Écrire lorsque l'on ressent le besoin de se défouler apaise presque instantanément. Écrire aide à se calmer seul, en prenant de la distance. C'est aussi la clé de la sérénité, du détachement. En couchant ce qui nous stresse ou nous irrite sur le papier, en le listant, nous l'éloignons de nous. Une fois le carnet refermé, le problème est loin, emprisonné, nommé, donc plus facile à cerner. Il perd alors de son intérêt. Couchez les colères ou les raisons de votre stress sur le papier : elles n'auront plus d'emprise sur vous. Se décharger ainsi est le meilleur des somnifères. Essayez !... Vous pouvez aussi, pour vous détourner de la colère, faire vos petites listes « ridicules » et secrètes, mais qui font tellement de bien parce qu'elles vous ramènent à vous (vêtements qui vont ensemble, ce que l'on porterait si l'on avait perdu dix kilos, les endroits où l'on partirait seul, à l'aventure...) !

Essayez aussi de comprendre exactement ce que vous voulez dans la vie. Que vos souhaits soient aussi clairs et détaillés que possible. Cela vous évitera probablement beaucoup de stress et... de ces colères qui vous font du mal. Si toutefois vous n'arrivez pas à faire cet exercice, dites-vous qu'il y a des embouteillages dans votre tête. Souvent, ne pas pouvoir écrire est le résultat d'un trop grand débordement. C'est comme si trop de pensées, d'émotions, de sentiments affluaient simultanément, demandant à être libérés tous en même temps. On se sent alors bloqué pour écrire. En faisant la liste de tous les sujets importants sur une page, on peut les « épingler » un à un et se concentrer sur ce qui nous tracasse le plus. C'est probablement le problème qui nous tracasse le plus qui est la source du blocage.

En tenant un carnet de listes, vous apprendrez aussi comment la relaxation dépend de la concentration. Écoutez votre petite voix intérieure et oubliez que vous êtes en train d'écrire. Quand vous serez fatigué ou « bloqué », arrêtez-vous un instant et relisez cette liste de visualisations. Elle peut constituer un excellent outil de dix minutes pour tout calmer (à vous de la compléter, bien sûr...).

Visualisations pour me détendre

Écouter les sons intérieurs de mon corps
Respirer profondément et lentement
Me concentrer sur une lumière blanche
Me concentrer sur le silence qui est en moi

En cas de colère ou de stress vous pouvez faire la liste de vos « baumes à l'âme »

Aller passer la nuit dans un petit hôtel
Sortir m'acheter des cigarettes et du gin
Me faire les ongles ou aller chez le coiffeur
Faire le ménage et jeter les choses laides et inutiles
Sortir marcher d'un pas rapide
Aller au cinéma
Prendre un bain parfumé à la rose

Suggestion de listes « Corbeille » (des listes à écrire pour soi-même, puis à jeter [1]) :

- Les raisons pour lesquelles je suis en colère en ce moment
- Ce que je dirais si je rencontrais... la personne qui me fait souffrir en ce moment
- Mes insultes préférées

1. Cette technique permet d'évacuer son stress, et d'éviter de tomber dans des situations irrémédiables, comme une lettre de rupture, des insultes prononcées sur le coup de la colère. On se sent tellement plus fort une fois qu'on a surmonté sa colère tout en ayant gardé ses sentiments pour soi !

- Une liste type de raisons (réelles ou forgées) pour refuser une offre
- Mes revanches
- Ce qui m'irrite en ce moment
- Ma rancune envers...
- Mon état de santé physique pendant mes colères
- Mon état de santé psychologique pendant mes colères
- Mes colères (datées), où, contre qui et contre quoi
- Ce que je veux
- Ce que je ne veux pas
- Choses qui me calment en cas de colère ou de stress
- Ces petites listes ridicules qui me font du bien
- Mes baumes à l'âme

Notez vos peurs et vos angoisses pour vous en éloigner

Le fait de noter ses peurs, même les plus anodines, fait réaliser, comme par magie, qu'elles sont beaucoup moins effrayantes une fois qu'elles sont couchées sur le papier (la peur d'attraper telle ou telle maladie, d'avoir un accident, de perdre un être cher...). Vous pouvez noter, sur une colonne parallèle à celle de vos peurs, des « solutions positives » pour y parer. Il n'est pas nécessaire de noter immédiatement une solution. Une fois que les questions portant sur vos peurs sont notées, votre inconscient va commencer automatiquement à chercher une solution et celle-ci vous apparaîtra aux moments les plus inattendus. Vous trouverez alors le moyen de dompter vos peurs les plus sourdes. Cette méthode est d'ailleurs parfois employée en psychanalyse.

Quant aux angoisses, puisque ce sont des angoisses, vous ne pouvez pas y mettre de nom ni les identifier. Mais vous pouvez toujours faire la liste des sensations éprouvées, quand et où, suite à quel type d'événement et dans quel contexte.

Suggestion de listes :

- Mes appréhensions (double colonne)
- Mes peurs (double colonne)
- Mes angoisses (sensations éprouvées)
- Les images qui me reviennent le plus en tête
- Ce que je peux faire dans mes moments d'angoisse
- Les listes à relire quand je me sens angoissé

Dans les moments de vague à l'âme…

> « Chacun vit des problèmes et subit des déceptions et des frustrations, mais c'est notre façon de réagir à ces obstacles qui façonne notre existence. »
>
> Anthony

Rien n'est permanent, rien n'est inutile non plus ; chaque tourment perfectionne, comme chaque voyage. Certains prétendent que les listes, et donc les mots, « figent » la réalité, et qu'en conséquence elles ne peuvent refléter notre véritable essence puisque nous savons tous que tout change à tout instant, que rien n'est permanent. Cela constitue même le fondement du bouddhisme. Mais il y a des moments dans la vie où seul un support « abstrait » ne suffit pas. Nos listes sont là pour nous ramener à la réalité, servir de support concret non seulement à nos questionnements mais à nos moments de tristesse, de cafard, de découragement, de blues, de vide intérieur et même de désespoir. Elles sont là pour nous rappeler que tout n'est pas toujours gris, que nous n'avons pas tout le temps à être au top et qu'il faut savoir « laisser passer les vagues de blues » comme des moments inévitables de toute vie, mais seulement passagers.

Lister donne de l'énergie. Feuilleter son « trésor » dans les moments de vague à l'âme, de désœuvrement, de perte de repères est un excellent booster de dynamisme. Toutes ces accumulations de moments merveilleux déjà vécus, de choses aimées passées et présentes, de projets apparemment impossibles aujourd'hui mais qui se réaliseront probablement un jour à condition que... vous les notiez noir sur blanc, sont autant d'étincelles éphémères de secours, pareilles à celles qui jaillissent lorsque l'on veut remettre en marche une batterie déchargée.

Faire des listes peut consoler, rendre gai, changer, calmer, aider à se vider l'esprit, inspirer, ouvrir son cœur et ses pensées à des réflexions plus profondes et même aider à se débarrasser d'une déprime.

Faire des listes, c'est réarranger sa vie, mieux apprendre à prendre conscience des choses, des événements, des situations. C'est métaboliser les blessures en œuvres d'art. Toutes les bonnes et belles choses que la vie nous a déjà offertes, elle continuera à nous les offrir, même sous une forme différente.

Relire de temps en temps sa liste de « 1 000 petits plaisirs » ou ses haïkus préférés, c'est comme ouvrir le couvercle de sa boîte à pharmacie et en retirer le médicament nécessaire au mal de l'instant. Cela reconnecte instantanément à un sentiment de bien-être.

Le livre de vos listes pourrait tout aussi bien s'appeler « Ma pharmacopée psychologique de secours ».

Apathie, anxiété, déprime... Ces états du mental sont souvent causés par des émotions étouffées (envie, jalousie, colère, peur, sentiment de culpabilité...) ou par le surmenage, la désorganisation. Faites la liste, rapidement et sans états d'âme, de ce qui a besoin d'être fait, puis prenez dans la liste une des choses à votre portée et accomplissez-la sans hésitation. Sortez de la maison, allez voir une exposition, un film, rempotez vos plantes, lavez votre voiture. Sortez, immergez-vous dans le courant de la vie. Quand on ne va pas bien, on a tendance à vivre au ralenti, à ne pas bouger. On manque d'énergie, on se sent comme un cerf-volant un jour sans vent.

Suggestion de listes anti-vague à l'âme

- « Choses douces » pour les jours de douleur
- Tout ce qu'il y a à faire en ce moment
- Les choses et les personnes qui m'apportent de l'énergie
- Mes projets pour le futur (voyages, vacances, changement de situation...)
- Les activités qui me sortent immédiatement de la torpeur et de l'apathie

Le principe des opposés

« Le bonheur est autant à l'opposé du malheur que la vie l'est de la mort. »

Simone de Beauvoir, interview tirée d'un documentaire sur Simone de Beauvoir et Jean-Paul Sartre, réalisé par Madeleine Gobeil-Noël

Au désespoir l'espoir, au chagrin la joie... À toute pensée correspond un opposé. Toute dépression contient son antidote.

Faire une liste intitulée « Le principe des opposés » et la relire dans les moments de creux peuvent apporter un certain réconfort. On a besoin de très peu pour vivre, pratiquement rien. Quiconque découvre ce qui est bon pour lui et s'y tient devient accompli. Il sait ce qui vaut la peine d'être vécu, aussi bien que ce qui vaut la peine de mourir. Demandez-vous : « Qu'est-ce qui m'ennuie en ce moment? Qu'est-ce que je me cache? » Katherine Mansfield, célèbre écrivain américaine de nouvelles, utilisait souvent ce type de réflexions dans son journal pour focaliser ses désirs. Elle écrivait :

« Maintenant, Katherine, que veux-tu dire par SANTÉ? » et elle se répondait : « Je veux dire le pouvoir de vivre une vie pleine, adulte, respirer la vie en contact intime avec ce que j'aime, la terre et ses merveilles, la mer, le soleil. Et je veux travailler. À quoi? Je veux travailler avec mes mains et mes sentiments et mon cerveau. Je veux un jardin, une petite maison, de l'herbe, des animaux, des livres, des tableaux, de la musique. Et de tout cela m'exprimer, écrire [1]. »

Suggestion de listes :

- La liste des cent choses que j'aime le plus dans la vie et celle des cent choses que j'aime le moins
- Mes plus beaux souvenirs de voyages, les impressions qu'ils m'ont laissées ; et mes pires souvenirs
- Les gens qui m'aiment et ceux qui ne m'aiment pas ; les gens que j'aime et ceux que je n'aime pas
- Ce qui m'amuse en ce moment et ce qui m'ennuie

Faire le deuil de certaines choses

> « Vivre, c'est sans cesse se désagréger et se reconstituer, changer d'état et de forme, mourir et renaître. »
>
> Extrait du *Grand Almanach poétique japonais*

C'est peut-être cela, rater sa vie : à chaque jour nouveau préférer les souvenirs, à la poussée de la vie préférer l'immobilisme et la rigidité, à la remise en question préférer les certitudes ancrées.

Si nous voulons transformer notre vie en une réalité féconde, il nous faut regarder lucidement nos anciens rêves afin de sélectionner ceux qui sont porteurs et constructifs et ceux qui nous emprisonnent dans les filets de l'être apparent.

1. Katherine Mansfield, *Journal*, édition complète, traduit de l'anglais par Marthe Duproix, Anne Marcel et André Bay, Folio/Gallimard, Paris, 1996.

Au début, ce travail peut être très douloureux. On se sent toujours moins à l'aise dans une nouvelle attitude que dans une ancienne, même erronée.

Nous choisissons la non-souffrance immédiate (même si elle est cause de souffrance dans le futur), comme nous choisissons aussi presque toujours le plaisir immédiat (même s'il est cause de déplaisir dans le futur). Pour se libérer de son passé intime, il faut le revivre, « rentrer dedans », avec toute la force émotionnelle liée à l'origine du souvenir. Il est bien plus difficile de renoncer à ce que l'on n'a pas eu qu'à ce que l'on a eu ! Vous pouvez faire une liste de choses auxquelles renoncer sur le plan mental (pensées, idées, convictions religieuses...) et sur le plan physique (entendre par là non seulement les attachements à la nourriture, la cigarette, la drogue... mais aussi à des ambiances, des styles de voyages, à tout ce qui est apparence, en l'occurrence).

Suggestion de listes :

- Mes principaux attachements
- Ceux auxquels je devrais prêter davantage d'attention
- Le sens de certaines valeurs que je devrais abandonner (l'ambition, l'esprit de compétition, l'avidité...)
- Comment les abandonner
- Les conséquences prévisibles de ces détachements
- Ce que je vais gagner en contrepartie
- Les choses auxquelles je me sens, pour l'instant, incapable de renoncer (peur physique, existentielle)
- Les valeurs auxquelles je suis prêt à renoncer ; procédés employés, conséquences et avantages escomptés

Suggestion de listes à faire sur la disparition d'une personne chère :

- Les sentiments de manque que je ressens en ce moment
- Ce que j'aimerais dire à cette personne si elle était là
- Ce que je pense qu'elle me dirait si elle me voyait en ce moment dans cet état
- Ce que j'aimerais que cette personne vive si c'était moi qui avais disparu en premier
- Les choses que j'ai découvertes seul et que nous aurions aimé découvrir à deux

Donner un sens à ses souffrances

« Plus la tristesse a creusé profond en votre cœur, plus ce cœur peut contenir de joie. »
Khalil Gibran

Faire face aux difficultés, c'est déjà commencer par ne pas les fuir. Essayer de fuir ses souffrances leur donne de l'importance. Se souvenir de tout ce que l'on a déjà enduré d'éprouvant et le regrouper dans une liste, c'est se constituer un véritable trésor de connaissances de l'existence qui devrait nous aider à donner un sens à notre souffrance actuelle. Tout a de la valeur. Faire une telle liste, c'est ne jamais oublier ce que l'on a glané de sagesse à travers ses souffrances, ses erreurs, sa patience, les défis et les expériences de sa vie. On gagne de la force, du courage et de la confiance en soi à s'arrêter sur chaque souffrance traversée, chaque peur regardée en face. On se dit : « J'ai déjà vécu ce calvaire. Je peux supporter ce qui est à venir. » Le courage est une victoire privée qui ne se partage pas. Par contre, ces actes secrets de courage agiront, eux, en ricochet sur les autres.

Soignez tout particulièrement la qualité d'expression de ce genre de listes : plus elle sera riche, plus elle sera belle, plus elle vous aidera à sublimer votre douleur. Et ce sentiment légitime de fierté vous réconciliera avec vous et avec votre douleur.

Suggestion de listes sur :

- Les difficultés que j'ai surmontées
- Mes souffrances (colonne de gauche) et ce qu'elles m'ont enseigné (colonne de droite)
- Les actes de courage dont j'ai fait preuve
- Les actes de courage dont je suis désormais capable
- Poèmes, mots, paysages, musiques... exprimant ou apaisant ma douleur
- Mes deuils

S'aimer, se respecter, se valoriser

> « Il n'existe peut-être qu'une seule maladie : celle de ne pas être soi-même. »
>
> Yves Renault, thérapeute par l'écriture

Nous ne nous autorisons que rarement à être tout simplement nous-mêmes. Pour cela, nous devons sentir de l'espace autour de nous, une absence de pression. Ne pas être compressés par toutes les manifestations du monde extérieur que les taoïstes nommaient « Les dix mille choses qui nous assaillent et nous font perdre le contact avec nous-mêmes ». Nous avons besoin de décompresser pour faire réapparaître à la surface les sentiments.

Chacun possède des qualités, de la valeur. Il nous arrive parfois de l'oublier et d'agir à l'encontre de nos propres intérêts et de notre bonheur. Nos listes sont là pour nous rappeler que nous sommes uniques, que notre vie a un sens et que tout évolue dans ce sens. Écrire des listes, c'est non seulement reconnaître tout cela mais c'est aussi établir un autre manifeste : celui de son propre potentiel.

Sachez exactement qui vous êtes, quels sont vos qualités, vos atouts. Sinon vous deviendrez ce que les autres veulent que vous soyez.

Faites la liste de vos qualités, créez votre « Manifeste de moi-même ». Vous pourrez par la même occasion dresser une liste des promesses que vous voudriez tenir envers cette personne que vous avez appris à connaître : vous-même. Cela vous donnera le sentiment d'avoir accompli quelque chose et d'exercer un pouvoir sur votre propre vie. Si ces promesses sont rédigées dans un style plein de douceur, de clarté et d'applications faciles, elles seront faciles à mettre en action. Un problème difficile à résoudre, divisé en petites tâches, est plus facile à maîtriser.

Il est très important aussi que chacun de vos succès soit noté par écrit. Cette comptabilité des succès remportés renforce très efficacement le pouvoir de réussite et la persévérance. Un succès que l'on voit sans cesse noté noir sur blanc a une force suggestive tout autre que celui qui n'est enregistré que dans la mémoire d'où il peut être délogé trop facilement par des sensations nouvelles, souvent peu importantes, sinon négatives. Noter nos succès nous renvoie de nous-mêmes une idée claire et nette de nos possibilités et de nos forces ; nous supprimerons petit à petit, ainsi, les causes de nos problèmes. Rien n'attire la réussite comme la réussite, dit le vieil adage.

Suggestion de listes « Manifeste de moi-même » :

- Ce qui est unique en moi
- Ce que je considère comme ayant de la valeur en moi
- Les caractéristiques morales qui me distinguent
- Mes qualités
- 50 choses dont je suis très fier, par ordre croissant
- Matières et choses étudiées
- Mes talents
- Ce que les autres aiment chez moi
- Ce que je peux offrir aux autres
- Les personnes qui ont besoin de moi
- Les gens auxquels j'ai apporté quelque chose
- Les personnes qui m'aiment
- Raisons pour lesquelles ces personnes m'aiment
- Ce que je suis (efforcez-vous de ne pas employer le verbe « avoir ». Ne listez que ce que vous êtes, sans citer ce que vous avez en possessions matérielles ou amis, diplômes, etc.)
- Ce que je peux faire pour simplement « être » (marcher seul dans la nature, jardiner, nager, regarder un coucher de soleil, écouter de la musique, pétrir du pain...)
- Choses que je vais faire (date butoir et moyens employés)
- Ce que je ne dirai plus jamais
- Ce que je ne ferai plus jamais

Rire

Charlie Chaplin disait que tout ce qu'il faut pour réussir dans la vie, c'est une bonne dose de sens de l'humour et de l'imagination. Il est extrêmement important de rire. Le rire détend, le rire guérit. Le rire, c'est la jeunesse. Avez-vous remarqué que plus les personnes vieillissent, moins elles rient ? Et que les enfants rient pour un rien ? Rire, c'est dédramatiser les situations pesantes, c'est retirer le trop de sérieux que nous accordons à des choses qui n'en valent souvent pas la peine. Il existe en Inde, dans les centres de guérison du cancer (au Kerala, par exemple), des séances de rire, où patients et médecins se rassemblent pour tout simplement rire. Si tout le monde riait plus, il y aurait probablement moins d'ulcères de l'estomac, moins de guerres, moins de tragédies dans le monde. Efforcez-vous de ne jamais être trop sérieux, de ne jamais vous prendre trop au sérieux. Aimeriez-vous vivre avec quelqu'un qui ne rit jamais ?

Suggestion de listes :

- Histoires pour rire
- Les films qui m'ont fait le plus rire
- Les situations qui m'ont fait le plus rire
- Les personnes avec lesquelles je ris le mieux
- Des traits d'humour que j'apprécie
- Des idées pour « dérider » mon entourage

Prenez conscience de vos pensées

Ce sont nos pensées qui font la qualité de notre vie

« L'énergie suit la pensée. »
Affirmation de la médecine orientale

Certaines personnes passent leur vie entière dans un état d'indécision et d'insatisfaction qui génère en elles langueur, mélancolie ou anxiété. Ces personnes ne peuvent réaliser à quel degré le caractère négatif de leurs pensées influe sur leur état physique et sur leur réalité extérieure. Voyez vous-même combien de fois vous soupirez, critiquez, exprimez de la faiblesse. Ces pensées sont comme des graines qui, si vous les nourrissez, vont pousser en vous et porter des fruits empoisonnés.

Pour bien prendre conscience de toutes vos pensées, vous pouvez faire l'exercice suivant : allez dans un lieu public animé et observez vos réactions en regardant les gens. Vous remarquerez que vous formez un jugement sur tout ce que vous voyez et que vous éprouvez du désir, de la peine, de l'indifférence, de l'envie... rien qu'en regardant des inconnus !

Comparez maintenant l'impact de cette quincaillerie de pensées dans votre vie en général : quelles sortes d'émotions créent-elles en vous ? Quel effet exercent-elles sur ce que vous dites, faites ? Détruisent-elles votre vie ou l'enrichissent-elles ? Cet exercice (prendre conscience de ses pensées parasites) vous aidera à les éliminer et vous fortifiera.

La plupart des gens n'imaginent pas combien les dialogues silencieux qu'ils entretiennent secrètement ont des conséquences sur leur vécu. Qu'ils se détrompent : chaque pensée génère une sorte de réaction émotionnelle, d'une subtilité infime, certes, mais qui change ce que nous disons ou faisons. Les pensées négatives altèrent la qualité de la vie.

Suggestion de listes (à faire dans un café ou un lieu public) sur :

- Les gens que je regarde (colonne de gauche)
- Ce qu'ils m'inspirent en pensées et émotions (colonne de droite)
- Les pensées qui émaillent le cours de mes journées

Rejetez les pensées négatives

Dans son fameux ouvrage *Transformez votre vie* [1], Louise Hay qui, en parallèle de son traitement pour soigner son cancer, a entrepris un travail psycho-

1. Traduit de l'américain par Gary Walker, Marabout, Paris, rééd. 2007.

logique sur elle-même conseille de toujours aller vers ce qui est positif et de se détourner de ce qui est négatif afin de se forger une réalité future tout autre. Quoique son témoignage soit encourageant, je tiens à préciser qu'il peut faire du mal. Tout le monde ne se guérit pas d'un cancer, et à la lecture de tels ouvrages un malade incurable peut, en plus de sa souffrance, se culpabiliser de ne pas savoir se guérir.

Toujours est-il qu'elle nous conseille de commencer par supprimer les phrases débutant par « Il faut que... », « Je ne peux pas... », des phrases qui castrent notre énergie. Elle insiste sur le fait que les mots sont immensément puissants, qu'ils peuvent, dans certains cas, emporter une nation entière. Mais qu'ils peuvent aussi guérir ! Une idée, répétée maintes fois, devient vite, dans l'esprit des gens, réalité. Les pensées engendrent des sentiments qui se traduisent ensuite par des actes. Elles sont aussi les graines qui, si nous les nourrissons, prendront racine et éventuellement porteront des fruits. Et c'est en leur donnant une part d'énergie, c'est-à-dire d'attention, que nous les nourrissons. Or l'attention est une forme d'énergie. Réfléchissez à toutes ces choses qui se sont concrétisées matériellement après avoir germé en tant qu'idées, puis sont devenues projets. C'est en nourrissant vos pensées d'énergies qu'elles se concrétiseront.

La liste des choses dont on peut se sentir victime est sans fin, que cela soit la maladie, la pauvreté, notre patron, notre partenaire... La caractéristique de la victime est de ne pas avoir le choix. Mais ce que vous avez créé, vous pouvez le « dé-créer ». Vos erreurs du passé sont là pour vous rendre plus conscient. Si vous n'aviez pas fait ces erreurs, comment pourriez-vous mieux vivre dans le futur ? Tout ce qui nous arrive constitue une leçon qui nous enseigne quelque chose.

Vous pouvez dater certaines entrées dans vos listes. Cela vous servira de références dans le futur et vous permettra de voir l'évolution de votre travail sur vous-même.

Suggestion de listes « Chasser les pensées négatives » :

- Énoncés positifs
- Cinq choses agréables qui m'occupent l'esprit
- Les activités qui ne me font plus penser
- Les personnes que je connais qui sont gaies de nature
- Les choses gaies (musique, livres, films...)
- Les endroits gais
- Les parfums que j'aime

Comment s'entraîner à stopper le flux de ses pensées

Libérer son mental, écouter ses pensées, sentir la présence de son moi intérieur ne tient qu'à soi. Personne ne pourra jamais nous obliger à penser quoi que ce soit si nous ne le voulons pas. Notre esprit est un merveilleux outil qui nous appartient, dont nous sommes les maîtres et non les esclaves. Une fois qu'on a compris qu'on peut, avec de l'entraînement, arrêter le flux de ses pensées lorsqu'on en a besoin ou envie, on obtient une liberté extraordinaire.

Les pensées peuvent parfois prendre la forme de monstres. Dans notre état ordinaire, nous fonctionnons en mode automatique, c'est-à-dire que nous avons très peu de contrôle sur le fonctionnement de notre esprit, nos pensées, nos réactions. La plupart des gens pensent qu'ils sont maîtres de leur esprit jusqu'au jour où ils essaient de méditer. Or contrôler son esprit, c'est être précisément capable de choisir ses pensées, de les stopper et de les reprendre à sa guise.

Alors comment contrôler le flux de ses pensées, ces singes sautant de-ci, de-là comme les nomme le zen ? Il faut pour cela, dans un premier temps, les observer, prendre conscience de leur présence. Mais en faisant cela, direz-vous, nous pensons aussi... Pas exactement. Essayez de considérer, pour une fois, vos pensées comme des choses. Des choses que vous êtes capable d'observer, de traquer, de faire rentrer et sortir de votre esprit à votre guise, comme des trains allant et venant dans un terminal de gare. On vous a toujours fait croire que certaines pensées n'étaient pas contrôlables, comme cesser d'aimer, cesser de désirer, ne plus redouter la mort. Mais qui en a décidé ainsi ? Les listes peuvent vous aider. Prenez un crayon et inscrivez le plus succinctement possible la pensée que vous avez à l'esprit à l'instant même. Par exemple : « Je pense aux pensées » ; puis : « Tiens, j'entends le bruit d'un avion » ; puis : « Que fait Y. en ce moment ? »

Regardez ensuite ce que vous avez écrit. En l'espace de quelques secondes, vous avez vu défiler trois pensées. Et maintenant ?

Naturellement, vous essayez de ne plus penser. Mais l'exercice n'est pas terminé ! Reprenez chaque pensée (ou élément de vos listes) et imaginez que c'est un caillou que vous lancez dans une eau calme. Attendez que l'eau redevienne paisible pour passer à l'idée suivante. Avec un peu d'entraînement et aussi souvent que possible, vous arriverez à trouver et à fixer un moment de vide entre plusieurs pensées. Comme de passer d'un élément à un autre dans des listes. Cet espace est une chose mentale sans forme. Mais c'est quand même une forme (la non-forme dont parlent les Orientaux). Entraînez-vous à écouter le silence entre chaque pensée.

Puis reposez votre crayon et arrêtez-vous. Que se passe-t-il dans votre tête ? Si vous répétez cet exercice jusqu'à la limite de vos forces, vous réaliserez à quel point il est fatigant de penser sans arrêt et possible de faire des pauses.

En poursuivant cet exercice, vous parviendrez, peu à peu, à rendre plus souples tous les rapports que vous mettez entre vous et les choses, vous et les gens. Tout, dans vos actes et vos actions, prendra plus de sens. Faites cet exercice de la liste de vos pensées pendant cinq ou dix minutes régulièrement.

Concentrez-vous sur les solutions, pas sur les problèmes

> « Nos vies ne sont pas tant moulées par nos expériences que par nos attentes. »
>
> George Bernard Shaw

Ce que nous pensons croire n'a pas beaucoup d'impact sur ce que nous savons « viscéralement ».

Seules les convictions gisant au plus profond de nous ont le pouvoir de transformer notre réalité. Avant d'entreprendre quelque chose, il faut y croire. Si nous créons au quotidien des images positives, nous avons de fortes chances de devenir les témoins de circonstances heureuses et de résultats couronnés de succès. On peut modeler sa vie à travers les images et les attentes que nous nous forgeons. Ce sur quoi nous nous focalisons prend de l'ampleur. Des expériences médicales ont prouvé que ceux qui « croyaient » en leur guérison guérissaient effectivement mieux que ceux qui n'y croyaient pas. Beaucoup de personnes veulent changer mais ne savent pas comment s'y prendre. Fixez-vous des buts clairs et nets. Pensez en termes concrets. Chaque but atteint vous encouragera à attaquer le suivant. Si vous ne pensez qu'à vos problèmes, ils s'amplifieront. Si vous vous focalisez au contraire sur leur solution, tout ira mieux.

Par la prise de conscience, vous pouvez faire ce que vous voulez de vos pensées, de vos journées, de votre vie. La puissance est en vous. À vous de la réactiver par les listes. Le premier pas est donc de renforcer, par vos listes, vos attitudes psychologiques et émotionnelles. Cela aidera par la même occasion les autres. En voyant que vous êtes fort, que vous avez la faculté de penser tout en gardant le silence et le contrôle de vos paroles, ils se sentiront en sécurité, soutenus, et ne vous en aimeront que plus.

Suggestion de listes :

- Mes convictions profondes
- Mes plans pour le futur
- Les buts que je voudrais atteindre

En choisissant vos mots, vous choisissez les termes de votre bonheur

« Le bonheur, c'est d'être heureux ; ce n'est pas faire semblant de l'être. »

Jules Renard

Chaque moment de bonheur permet de s'accomplir, d'être soi. Il faut avoir de tels moments en réserve !

On peut changer en écrivant ce que l'on choisit de voir, de ressentir, de penser, d'être. Sélectionnez ce que vous choisissez de consigner par écrit, extrayez ce que vous aimez, ne vous appesantissez pas sur ce qu'il y a de regrettable. En abandonnant ce qu'il y a de morne et en ne préservant que les moments précieux puis en ressentant le pouvoir merveilleux de les décrire comme vous le voulez, vous vous créerez non seulement vos propres valeurs mais la personne que vous choisissez d'être. Une description ne fait jamais parfaitement état de la réalité ; elle la recrée selon la façon dont on la perçoit. Et c'est cela que nous devrions préserver.

Lectures, relations humaines, esthétique de la vie... en ne sélectionnant que les détails les plus intéressants de ce que vous vivez, vous vous créez en quelque sorte votre propre réalité, vous vous forgez votre perception individuelle du monde et vous devenez une de ces personnes qui ont le don rare de capter le bonheur.

On est toujours marqué par les penseurs qui nous révèlent des vérités inconscientes que l'on porte en soi ; faites votre liste personnelle de ces citations, de ces phrases de la pensée des autres qui rejoignent les vôtres. Ces idées empruntées à d'autres deviendront vôtres : elles prendront racine dans votre être car elles correspondent à quelque chose de viscéral.

En mettant un nom sur les choses, on se sent un peu comme en possession de cette chose et on en retire une réelle satisfaction. Les mots apportent de la puissance. Quel plus grand plaisir que s'exprimer avec les mots correspondant exactement à ce que l'on ressent, ou, à défaut, de trouver ces mots dans un poème, de la prose ? Ces mots deviennent un trésor, comme de l'or qui nous rendrait plus riche. Nombreux sont ceux qui se sentent frustrés de ne pouvoir exprimer avec justesse tout ce qu'ils ressentent. Mais c'est un art qui s'apprend.

Suggestion de listes :

- Citations
- Poèmes
- Mots et expressions qui me plaisent

Nous sommes les partisans de notre propre vie

Comment se constituer une liste de « Questions phares » ?

« On ne reçoit pas la sagesse, il faut la découvrir soi-même, après un trajet que personne ne peut faire pour vous. »

Marcel Proust

Dans son film, *Manhattan*, Woody Allen faisait mentalement la liste de ses raisons de vivre. Et nous, combien de fois l'avons-nous faite ? Que voudrions-nous changer, réaliser, accomplir ?

Nous sommes devenus les artisans de nos vies. Tout ce qui va dans le sens du renforcement de l'identité est perçu comme positif. Faire des listes constitue un enrichissement de sa propre existence et permet d'être encore un peu plus l'acteur de sa propre vie. L'écriture ne fait pas que nous suivre. Elle peut aussi nous précéder, nous révéler à nous-mêmes.

Il est souvent plus important de savoir se poser et formuler des questions incitant à la réflexion ou à l'introspection que de chercher des réponses. Ces questions peuvent être puisées, par exemple, lors de la lecture d'ouvrages philosophiques, spirituels ou religieux, et devenir des sujets de méditation et de réflexion. Nous ne devons pas vivre la vie comme des touristes à plein temps, dit Théodore Monod. La vie au quotidien ne nous permet pas d'avoir accès à l'essence de notre existence, parce que cette vie est une vie qui fuit le principal. Vivre sans se soucier de rien, « en se la coulant douce », est une fuite. Pour remplir son rôle d'être humain, il y a des questions auxquelles nous devons inévitablement faire face.

Suggestion de listes :

- Les multiples rôles que je joue dans la vie
- La personne que je voudrais être, spirituellement
- Ce qui me définit spirituellement
- Mes valeurs éthiques
- Les faits les plus marquants de mon passé à l'origine de ma situation actuelle
- Les personnes qui m'ont le plus influencé
- Ce que j'ai hérité de mes ancêtres
- Les injustices qui me révoltent le plus sur la planète
- Les qualités de mes parents
- Mes cas de conscience les plus graves
- Les principes que je valorise dans l'existence
- Les libertés que je tiens comme évidentes et que je prends pour argent comptant
- Mes raisons de vivre

Pour que les choses changent, il faut d'abord les visualiser

> « Chez les humains, le courage est nécessaire pour rendre possible l'être et le devenir. Une assertion du soi, un engagement sont nécessaires si le soi veut avoir une réalité. C'est la distinction entre les êtres humains et le reste de la nature. Le gland devient un chêne par le moyen d'une pousse automatique. Aucun engagement n'est nécessaire ; un chaton devient un chat selon la base de l'instinct. Nature et être sont identiques chez de telles créatures. Mais un homme ou une femme ne deviennent pleinement humains que par leurs choix et leurs engagements envers ces choix. Les gens atteignent valeur et dignité par la multitude de décisions qu'ils prennent chaque jour. »
>
> Rollo May, *Le Courage de créer*

Pour faire changer les choses, il faut visualiser sa vie. Voilà une petite phrase qui a changé la mienne ! Quoi de plus juste, de plus logique, mais aussi de plus difficile à réaliser ?

Nous jugeons utile et important de constituer des listes des choses à faire ou à emporter pour partir en voyage. Alors, pourquoi ne pas en faire une, aussi, pour ce long voyage qu'est notre vie, une liste de ses ambitions et de ses buts, de ses convictions et de ses rêves ? Pourquoi ne pas se donner les directions à suivre pour atteindre ces sommets ? Notre futur est potentiellement illimité. Nous pourrions faire ce que nous voulons et aller où bon nous semble. Mais encore faut-il savoir ce que nous voulons, la personne que nous désirons être ou... devenir!

Vous pouvez dresser une liste de mini-buts à atteindre pour vous rapprocher de cette personne. Les seuls obstacles sont ceux que vous vous créez dans votre esprit.

Faites une liste des personnes, des situations, des événements que vous aimez et de ceux qui vous font fuir. Vous devez savoir exactement ce que vous voulez et plus vous serez précis, clair, spécifique, plus vous vous rapprocherez de cette personne, plus vous évoluerez vers ce à quoi vous aspirez. Car nous évoluons naturellement vers les images que nous créons et ce sont ces images que nous retenons dans notre esprit. Si vous achetiez un puzzle de mille pièces sans avoir l'image de ce qu'il représente, que feriez-vous? Vous y parviendriez peut-être, mais vous auriez beaucoup de mal.

Les gens qui savent ce qu'ils veulent atteignent beaucoup plus vite leur but que les autres simplement parce qu'ils savent où ils vont. Ils savent alors quelles actions entreprendre, quel chemin prendre.

De plus, comme notre cerveau attire ce qu'il voit en images, avoir des buts précis, une image claire de ce que nous désirons agira comme un aimant.

En explorant chaque jour, dans nos notes, ce que nous pouvons faire pour avancer dans notre vie, nous pouvons faire des choix qui seront plus proches de nos vues personnelles, de ce dont nous avons besoin pour nous accomplir sur cette planète.

Suggestion de listes pour « Visualiser sa vie » :

- Les livres que je voudrais lire
- Les musiciens que je voudrais mieux connaître
- Les œuvres d'art que j'aimerais voir
- Les pays que j'aimerais visiter
- Les cultures que j'aimerais découvrir
- Les hobbies dans lesquels j'aimerais passer maître
- Les choses dont j'aimerais me détacher
- L'endroit où j'aimerais vivre plus tard
- Comment je me vois dans cinq ans, dix ans, vingt ans

Faire des listes pour évoluer

Le sens, c'est d'abord une direction

> « Pour ce goéland-là, l'important n'est pas de manger mais de voler. Mille vies, Jon, dix mille vies ! Et cent autres ensuite avant que nous commencions à comprendre qu'il existe quelque chose qui s'appelle perfection, et cent autres encore pour admettre que notre seule raison de vivre est de dégager cette perfection et de la proclamer...
> Ce qu'il te faut, c'est continuer de découvrir par toi-même chaque jour un peu plus le véritable Fletcher le goéland qui est en toi. C'est lui le maître. Il te faut le comprendre et l'exercer. »
>
> Richard Bach, *Jonathan Livingstone le goéland*

Toute évolution exige des transformations. Et tout ce qui n'évolue pas dégénère et meurt. Nous devons, toujours et sans cesse, nous poser des questions pour sortir de la confusion et trouver le sens des directions à prendre dans notre vie. Et pour cela nous devons faire appel à tous les trésors de connaissance que nous avons accumulés pendant des années.

Comment utiliser ses ressources naturelles, ses sens, son intelligence pour bouger, se nourrir, se vêtir, se conduire avec les autres, approcher la mort ? Ce sont là le souci et la préoccupation de chaque être humain. Ces questionnements sont universels, essentiels, parce qu'ils nous font prendre conscience d'une quête de notre sens personnel de la vie. Or le sens de la vie, c'est d'abord une direction. Comment avancer sans projets, sans croyances ?

Choisir, se remémorer, révéler le plus profond de soi-même, sont essentiels pour vivre de façon consciente et authentique.

L'autoréflexion est un travail à entreprendre pour soi et à faire seul. Pourquoi tant de gens aujourd'hui délèguent-ils à autrui ce soin de penser pour eux-mêmes ?

Le destin de chacun consiste à créer l'harmonie en lui à partir de sa raison et de ses choix. Certains philosophes, comme Sartre, ont reconnu cette tâche comme fondamentale et l'ont appelée projet de vie, ce qui signifie que les actions de l'individu sont dirigées vers un but procurant forme et sens à sa vie. Pour cela il nous faut nous libérer du désordre qui règne dans notre esprit et être capable de rendre disponibles toutes les informations accumulées au long de l'existence.

Faire des listes amène à réfléchir, à décrire et à décider des directions que prend notre vie. Visualiser le but de sa vie et ensuite être capable de le réaliser pleinement et complètement donnent beaucoup de force. On sait alors qui l'on est, ce que l'on veut, et par quel moyen parvenir à ses fins. C'est le « soi » qui permet la vie intérieure, qui nous rend capables de nous inscrire dans quelque chose de plus large. Exercice de méditation, chemin vers un moi plus profond, ce n'est qu'en pratiquant que nous apprenons. Une liste de questions sur la vie, son sens, notre place dans l'univers, peut nous guider, nous accompagner dans notre quête. Le sens, c'est d'abord une direction. On peut être prisonnier du présent comme de ses souvenirs, de pensées douloureuses, ou de l'angoisse de l'avenir. Sans direction à prendre, on peut sombrer dans la dépression, perdre tout repère, toute envie de vivre. C'est le sentiment que ce que l'on fait a un sens qui est indispensable à l'envie de vivre. D'où la nécessité d'une motivation, d'une utopie, de rêves et de croyances en tout ce que, de toute façon, personne ne pourra jamais prouver ni... démentir.

Les Japonais savent comme instinctivement, de par leur culture, que se poser des questions sur le sens de la vie est sans réponse et par conséquent vain. Ils se contentent donc de profiter de la vie par le truchement du beau, de la pureté, de l'humilité, de l'honnêteté, du travail bien fait, de la perfection et de la nature. Ils ont élevé l'art culinaire à une véritable religion, tout comme le rite du bain, la cérémonie du thé, la fabrication des couteaux ou des télévisions. Les Occidentaux, eux, ont toujours eu l'habitude de se poser des questions pour comprendre le comment et le pourquoi des choses. Il leur est donc nécessaire de passer par un long cheminement de réflexion avant de réaliser que toutes ces questions sont vaines. Cela leur prend souvent toute une vie avant de revenir à un état d'esprit leur permettant de vivre sans « penser ». Le « Je pense donc je suis » finirait donc par « Je sens donc je suis », ou encore « Être, c'est ne pas penser ».

Mais être, c'est agir selon sa conscience. On sait toujours, au fond de soi, ce qui est correct et ce qui ne l'est pas.

Suggestion de listes de thèmes sur lesquels méditer

- Comment puis-je évoluer ?
- Comment vivre concrètement en accord avec mes idées ?
- Quand je prends parti pour telle ou telle idée, vais-je au fond du problème, ai-je bien une vue d'ensemble ?
- Ce que je peux faire, moi, contre les injustices
- Pourquoi ai-je vécu jusqu'à maintenant ?
- Quel sens est-ce que je veux donner à ma vie ?
- Ce à quoi j'aspire dans ma vie
- Où ?
- Avec qui ?
- À quoi ma vie ressemblerait-elle si j'appliquais tout ce en quoi je crois ?
- Mes projets de vie

Quelle contribution puis-je apporter au monde ?

> « Les actions des hommes sont les meilleurs interprètes de leurs pensées. »
>
> John Locke

Imaginez, un instant, ce que sera votre dernier jour sur cette terre. Maintenant, faites une liste de ce que vous avez accompli, de toutes les choses dont vous êtes fiers, et de toutes les choses qui vous rendent heureux. Est-ce que votre voiture figure sur la liste ? Votre TV ? Votre stéréo ? Votre salaire ? Peut-être.

Mais sur votre liste on retrouve peut-être aussi les éléments fondamentaux d'une vie heureuse : les relations avec vos amis, votre famille, la contribution que vous avez apportée à la vie des autres, le sentiment d'avoir vécu honnêtement. Nous accumulons des choses et des preuves de succès sans se demander ce que le véritable succès signifie. Il faudrait nous défier de toutes ces fausses adorations que sont la religion du profit, la soif de puissance et de vanité, et les remplacer par celles de la beauté, du sacré, de notre faculté à rester émerveillés devant les mystères de l'univers.

Nous pourrions (et devrions) faire la liste de toutes les anomalies de notre système. Cela nous inciterait à consommer différemment, à nous demander ce que sont le succès, une vie bien vécue.

Pourquoi ne prenons-nous pas le temps d'établir, pour nous, de telles listes et essayer ainsi d'apporter notre contribution personnelle et tacite à une meilleure planète ?

Viktor Frankl, ancien prisonnier des nazis, psychologue et auteur surnommé « le thérapeute de la vitalité », donne sa solution : voir ce que l'on peut donner en termes de création (activité artistique, manuelle, être un bon parent, un bon fils, un époux, un ami...). Il y a en effet mille manières d'apporter sa contribution au monde et d'être conscient qu'il peut changer.

Suggestion de listes de thèmes sur lesquels réfléchir :

- Comment vivre plus écologiquement ?
- Quels moyens puis-je appliquer, concrètement ?
- Comment privilégier la qualité à la quantité ?
- Qu'est-ce ce que je fais, personnellement, pour éviter le gaspillage ?
- À quoi me sert l'argent que je gagne ?
- Qu'est-ce que mon argent n'achète pas ?

Le bonheur vient à ceux qui sont prêts à le recevoir

> « Le soleil qui nous éclaire, les étoiles, la mer, le train des nuages, les étincelles du feu, que vous viviez cent ans ou quelques années, vous ne verrez rien de plus beau. »
>
> Le poète Ménandre

L'idée de bonheur – dont l'essence est pourtant si riche – devient essentiellement médiocre : elle ne suppose plus aucun dépassement de l'homme par lui-même, elle le tire vers le bas, vers le plat confort matériel au lieu de l'élever vers ce qui est grand. Le bonheur n'est ni identifiable ni quantifiable : il appartient au monde spirituel, c'est-à-dire au monde irrationnel ; rien en la matière ne se commande, pas plus que dans le domaine du sacré ou de l'absolu...

Nos besoins essentiels ne sont-ils pas une harmonie avec nous-mêmes, avec la part la plus élevée que nous portons en nous, et avec notre environnement ?

Cette sorte de paix idéale, sereine et radieuse, nous pouvons, sans sagesse ou sans méthode, passer une existence à la rechercher et nous fier à ce que notre temps décrète bon pour nous. Et nous pouvons tout aussi bien passer notre existence entière à la voir se dérober.

Les puritains faisaient fréquemment des listes de leurs transgressions morales. Benjamin Franklin faisait celle des treize vertus qu'il avait décidé d'acquérir : tempérance, frugalité, propreté, tranquillité, humilité... Il faisait même un graphe de ses malheureux progrès sur chaque vertu.

Mais ce genre de listes n'apporte pas de satisfaction. Il est une forme d'autocensure. Marion Milner, diariste américaine du XIXe siècle, avait décidé, elle, de décrire toutes les choses qu'elle désirait et toutes celles qui la rendaient vraiment heureuse. Pendant sept ans, elle fit des listes de ses désirs et de ses joies. Elle s'enseignait petit à petit le bonheur à elle-même et les procédés lui permettant d'y arriver.

Pour être heureux, il faut « pratiquer le bonheur », se rappeler de se sentir heureux. Relire ses listes, parler de bonheur, comparer sagement, contrôler ses désirs, préférer le bonheur à l'argent pour l'argent, considérer le bonheur comme un engagement, sourire même lorsqu'on n'en a pas envie, parler avec les autres des moyens d'obtenir le bonheur (et non se plaindre de la vie)... tout cela se travaille ; et on le doit aux autres. Il faut s'aimer, se trouver heureux pour aimer les autres. Pour cela, souvenez-vous de toutes les choses que vous avez accomplies jusqu'à maintenant et de tous les bons moments vécus ; relisez vos listes de petits plaisirs...

La fonction de ces listes n'est pas de se faire la morale, de se réprimer. Elle est de nous permettre de sortir de notre engourdissement spirituel, de réfléchir, de décrire, de se rapprocher de la réalité, de cette réalité que l'on perd peu à peu. Puis de décider des directions que l'on veut prendre dans sa vie. Chacun sent qu'il existe en lui une exigence, une recherche, une tentative de se mettre en accord avec ses plus hautes aspirations, y compris celles qu'il ne soupçonne pas. Dans cette quête, il comprend qu'il y a l'espérance d'un absolu, une sorte de pureté parfaite que la vie quotidienne ne peut offrir qu'à condition d'être vécue avec une certaine forme de conscience.

Suggestion de listes :

- Les personnes les plus heureuses que je connaisse
- Des moments magiques que j'ai vécus
- Les personnes les plus courageuses que je connaisse
- Les habitudes et attitudes de personnes âgées que j'admire
- Les choses qui me connectent avec le plus profond de mon être
- Les choses qui me nourrissent intérieurement
- Les belles personnes que j'ai eu la chance de rencontrer dans ma vie
- Mes « justes milieux » (le fait de les choisir les inscrit au fond de soi, ce qui prédispose à faire des choix en conséquence)

La mort

> « Mille plans, dix mille calculs
> Sur le brasero un flocon de neige. »
>
> Poème bouddhique du XIIIe siècle

Mot tabou de nos sociétés modernes occidentales... Mais qui n'y pense pas ? Peut-on être véritablement heureux sans accepter le fait de mourir comme quelque chose de naturel et qui nous arrivera à tous, à nos proches, à nous ? Pourquoi le sujet de la mort nous effraie-t-il autant ? Si nous nous posons des questions « existentielles », la plus récurrente est probablement celle de la mort. Le sujet n'incite qu'à des questions, puisque personne n'a de réponse. Une liste de questions...

On ne peut être « vivant » que si l'on a une conscience aiguë de la mort. Réfléchir à la mort, c'est prendre conscience du sens précaire de la vie. On doit se poser des questions sur la vie et sur la mort car ce sont ces questions qui en génèrent d'autres. Alors, à un moment donné, on peut se construire une « morale » personnelle, c'est-à-dire qu'on donne des axes à sa vie.

La vie a ou n'a pas de sens. Personne n'en sait rien. Mais, de toute façon, rien ne nous empêche de lui en donner un : le nôtre !

Écrire et faire des listes sont la voie indiquée pour la recherche et la solution de beaucoup de questions que chacun se pose ou devrait se poser, prend ou ne prend pas le temps de se poser.

« La mort n'est qu'un passage vers une autre forme de vie à un niveau vibratoire différent », dit Élisabeth Kübler-Ross. La recherche vaut pour elle-même, par ce qu'elle implique de travail sur soi.

On touche ainsi à l'essentiel : maintenir le fil avec soi. Si nous ne pouvons affirmer une vie future après la mort, nous avons tout de même le droit d'espérer. Il faut se fixer des lignes directrices personnelles très rigoureuses, mais dont l'effet rayonne sur autrui.

Suggestion de thèmes sur lesquels réfléchir :

- Qu'y a-t-il après la mort ?
- Faits inexpliqués ou étranges que des personnes de confiance m'ont relatés quant à une existence de la vie après la mort
- Qu'est-ce que je voudrais laisser après ma mort ?
- Les expériences que je souhaiterais faire avant de mourir
- Comment je voudrais passer ma dernière journée
- Les personnes dans lesquelles j'aimerais me réincarner
- Qu'est-ce qui caractérise une belle vie ?
- Les plans que j'ai pour avoir une riche et belle vieillesse
- Les meilleurs maîtres, rabbins, prêtres... que j'ai rencontrés dans ma vie ou dont j'ai eu connaissance
- Les faveurs que j'aimerais demander à l'au-delà
- Les choses qui me connectent avec le plus profond de mon être
- Citations sur la mort

Quatrième partie

Les listes de mes mille et un plaisirs

Imagination et créativité

Nous pouvons choisir les couleurs de notre vie

> « La pluie tambourine sur le toit du van.
> Les animaux sont enroulés dans leur sommeil.
> Il y a une espèce de solidité à la nuit noire sur les petites vallées ; on pourrait presque la couper en tranches et en faire des piles.
> Aucune lumière nulle part.
> Le ruisseau fait d'incessants gargarismes comme s'il avait mal à la gorge. Une voiture passe sur l'autoroute Mahalt, lançant des flashes de-ci, de-là au-dessus du van, puis disparaît, irréelle. »
>
> Emily Carr, *Colombie-Britannique*

C'est à l'âge de soixante et un ans que le peintre américain Emily Carr décida de s'installer avec son singe, son rat et deux chiots dans un mobile-home. Elle aurait pu craindre la vieillesse, se plaindre des fuites d'eau de son toit ou s'apitoyer sur sa solitude, mais elle choisit un mode de vie hors de l'ordinaire ainsi que sa façon à elle de le percevoir et de le décrire. Les listes-journaux pour lesquels elle est maintenant connue en sont le témoignage.

Nous avons, nous aussi, le pouvoir de peindre le tableau de notre vie, d'en choisir les couleurs, le ton, les matériaux. Et ce faisant, nous choisissons notre manière de percevoir le monde. Choisir ce que nous désirons voir, écouter, sentir, toucher, lire, faire, et en dresser la liste changent notre façon de voir le monde, et donc de vivre. Le choix des sujets que nous notons devient aussi celui de ceux que nous ferons dans la vie.

Chaque jour, chaque minute peut contenir des myriades de choses passionnantes. Les noter sous forme de listes de mots, de phrases ou de courts comptes-rendus permet de se constituer non seulement un véritable réservoir de bonheur, mais de prendre conscience avec plus d'acuité de ses sens, de sa sensibilité, de ses pouvoirs créateurs et de l'imagination dont nous sommes naturellement dotés. Ce type de listes reflétera, à son tour, la personne que nous choisissons d'être. Une des plus grandes joies de l'être humain est de créer : il ressent alors une sorte de transcendance dans laquelle son ego reconnaît quelque chose le dépassant ; il a conscience d'actualiser un potentiel qu'il avait déjà en lui. Prendre note de chaque minuscule particule des joies que la vie nous offre peut, bout à bout, faire émerger une montagne majestueuse. Comme les peintres, les photographes, les musiciens ou les poètes, chacun peut, avec de simples mots, devenir son propre créateur.

Suggestion de listes « couleurs de ma vie » :

- Les charmes de chacune des saisons de l'année
- Les charmes de chacune des saisons de la vie
- Les activités excentriques que je voudrais exercer
- Cinq modes de vie dont j'aimerais faire l'expérience
- Ce que j'aime de l'endroit où je vis (les petits bruits du voisinage, la vue de la fenêtre...)

Les listes « Évasion et imagination »

> « Je ne peux pas dire, tout au long des miles, que j'aie appris ce que je voulais savoir parce que je ne savais pas ce que je voulais savoir. Mais j'ai bien appris ce que je ne savais pas que je voulais savoir. »
>
> William Least Heat-Moon,
> voyageur et écrivain

Les listes des autres font toujours rêver. Elles nous stimulent, nous inspirent. Nous nous mettons à rêver, nous aussi, et nous parvenons ainsi à nous ouvrir, à nous développer, à explorer. C'est dans de tels moments que l'on se découvre le mieux et que, paradoxalement, on s'oublie. On est devenu un autre qui est encore plus lui-même. La vie prend alors une autre dimension. Notre personnalité se décuple. Quelle satisfaction que de pouvoir créer des décors où l'irréel pourrait devenir réel !

Il faut rêver tout en continuant de profiter de l'instant présent pour prendre conscience des mille joies que l'avenir peut encore nous réserver.

La liste la plus connue que tout le monde a faite au moins une fois dans sa vie est probablement celle de ce que nous emporterions si nous partions vivre sur une île déserte. Nulle autre question ne fait plus sortir de son quotidien. Marilyn Monroe avait répondu, elle : « Un marin tatoué bien musclé ! » Je n'ai jamais entendu personne répondre : « Ce que j'ai déjà ! »

Un des livres qui m'a fait le plus rêver est le merveilleux *Journeys of Simplicity* [1] (malheureusement pas traduit en français), de l'écrivain américain quaker Philip Harnden, énumérant les listes des rares biens que possédaient des êtres spirituels et anticonformistes comme Jésus, Gandhi, pèlerins, missionnaires, artistes, poètes, ermites, grands voyageurs (connus ou moins connus).

Voici une de ces listes, celle de William Least Heat-Moon, né en 1939, natif d'Amérique (Sioux), voyageur et écrivain, parti faire le tour des États-Unis dans son van qu'il avait nommé « Le Fantôme dansant » :

« À l'intérieur du « fantôme dansant » Least Heat-Moon possède :

Un sac de couchage et une couverture

Un cooler Coolman vide sauf pour une boîte de conserve de pâté de foie donnée par un ami afin qu'il ait toujours quelque chose à manger

Une cuvette Rubbermaid et un bidon de 5 litres en plastique

Un évier

1. Philip Harnden, *Journeys of Simplicity : Traveling Light with T. Merton, Basho, E. Abbey, A. Dillard & Others*, Skylight Paths Publishing, USA, 2003.

Des toilettes portables Sears, Roebuck
Un réchaud à gaz Optimus 8R à peine plus grand qu'une boîte de haricots en conserve
Un sac à dos d'ustensiles
Une casserole
Une poêle
Un sac de mer de la Marine américaine rempli de vêtements
Un kit d'outils
Une pochette de cahiers, crayons
Un atlas routier
Un magnétophone pour minicassettes
Deux appareils photo Nikon F2 35 mm
Cinq objectifs
Deux vade-mecum
Leaves of Grass de Whitman
Black Elk Speakers de Neihardt
En billets : 26 dollars
Quatre cartes de crédit pour l'essence. »

Combinaison d'ingéniosité, de ressources intérieures, de plaisirs, la créativité s'exerce dans tous les domaines de notre quotidien : lorsque nous préparons un repas, lorsque nous disposons des fleurs dans un vase, lorsque nous projetons un voyage, lorsque nous abordons un problème, lorsque nous organisons notre travail... Nous exprimons alors notre véritable nature, nos préférences, notre originalité. Pendant que l'on crée, le temps s'arrête. Nous pensons, nous nous affairons à exprimer notre moi authentique. Nous ouvrons les cadenas de trésors cachés en nous.

C'est un réservoir profond de possibilités infinies, d'idées, de réalisations, de découvertes, de méthodes instantanées qui surgissent à travers les moments et les années de notre vie. La créativité se moque de ce que nous pouvons ou ne pouvons pas faire. Elle est sans limites. C'est une force qui se régénère d'elle-même.

Les listes nous permettent d'entrer dans cette zone de créativité à explorer. On peut en faire autant qu'on veut.

Faites le silence en vous puis mettez-vous à écrire. Lancez-vous. Peu importe si, au début, ce que vous écrivez ne vous plaît pas. Cherchez, essayez, persistez. Et vous verrez que vous serez très étonné de ce que vous êtes capable de produire. Faire des listes aide à développer son imagination, à sortir de sa coquille, de la prison psychologique que l'on s'est créée ; cela permet de s'évader du quotidien, de voyager au-delà de portes qui nous sont fermées ; cela aide à les ouvrir. Le monde autour de soi s'efface ; on est « parti » dans ses pensées, dans ses rêves. Laissez-vous aller au plaisir de sentir ce qui émane de votre esprit. Créer, c'est jouer, purement et simplement. Et qui sait, cela peut mener à un projet de vie, une œuvre d'art. Selon le moment et l'inspiration, ces listes prennent même une tournure poétique. Pour peu que vous vous concentriez sur ce qui vous apporte du plaisir et y consacriez un maximum d'attention.

Suggestion de listes « Évasions » :

- Les endroits au monde où j'aimerais construire ma maison
- Toutes les vies que j'aimerais mener
- Les métiers dont je rêve
- Le ou les pays dans lesquels j'aimerais vivre ou passer quelques années
- La personne que j'aimerais être
- Ce que j'emporterais sur une île déserte
- Ce que j'emporterais dans mon van pour faire le tour du monde

Des listes de « Petits riens »

Pour vous inspirer, lisez *Les Miscellanées de Mr Schott* [1].

Merveilleuse et unique collection de petits riens essentiels, ce livre est une sorte d'index où se côtoient *L'Enfer* de Dante et l'entretien du linge, le caviar et les degrés Celsius, le nom des scores de golf, le degré de piquant des piments, des informations sur le chat de John Lennon, les travaux d'Hercule, et mille autres, informations aussi éclectiques qu'amusantes.

Il vous donne immédiatement l'envie de faire, vous aussi, la liste de mille et un sujets aussi amusants qu'excentriques.

1. Ben Schott, *Les Miscellanées de Mr. Schott*, traduit de l'anglais par Boris Donné, Allia, Paris, 2007.

Suggestion de listes « petits riens » juste pour le plaisir :

- Le nom des thés oolong chinois
- Les adjectifs décrivant le gris
- Les variétés de mousses que je choisirais si j'avais un jardin de lune
- Ce que je ferais si j'étais invisible
- Tout ce qui se rapporte à la pluie
- Les scènes de films romantiques se passant à New York sous la neige

Des listes pour embellir sa vie : découvrir sa propre esthétique

> « Les fleurs sont belles
> la lune est belle
> mais c'est surtout le cœur qui voit tout cela qui est beau. »
>
> Proverbe zen

Nous avons tous en nous le pouvoir de toujours et encore embellir notre vie, mais pour cela nous devons prendre le temps de découvrir notre propre esthétique. Les listes fournissent l'occasion de se former à l'écoute de mille détails du monde et de se fondre en lui. Les artistes, eux, dévorent les images afin de créer les leurs. Se promener en voiture, à bicyclette, à pied ou en train, observer toutes les variétés de lumières, d'espaces qu'offrent autoroutes, venelles, bords de mer, crêtes de montagne..., tout cela catalyse une pensée créative active. Conduire ou marcher sous la pluie, aller explorer les petites routes, les détails architecturaux de sa ville ou d'un village, sortir des sentiers battus, quel plaisir ! Si vous n'avez pas de voiture, prenez un bus, un bateau, une bicyclette, ou marchez, tout simplement. Laissez le flot des images vous submerger, mangez avec vos yeux. Pensez à la variété de la vie. Laissez-vous remplir de tout ce que vous voyez. Listez ce que vous remarquez dans un café : les gens, ce qu'ils disent, les odeurs, les bruits, les couleurs, le décor... regardez la vie autour de vous comme un spectateur silencieux, tout yeux et tout ouïe.

Qu'est-ce qu'une belle vie ? Chercher, creuser, guetter en soi, chez les autres, dans les livres, partout, le meilleur de tout pour remeubler sa tête, redécorer sa vie, n'est-ce pas un passe-temps exaltant ? Faire des listes contribue à vivre sa vie plus pleinement. La réalité se fait jour après jour, par petites doses. Une vie vécue un jour à la fois est une vie faite de beaucoup. Notre vie est comme une symphonie. Faites la liste des choses qui vous plaisent dans un lieu (hôtel, maison d'amis... – ces détails que vous avez aimés seront alors plus facile à incorporer dans votre propre vie), celle de vos « Coups de cœur » (un film, un intérieur, une salade composée...). Ce qu'il faut, ce sont des détails concrets. Si vous aimez un biscuit, notez le nom du fabricant et celui du magasin qui le vend. Notez des noms de rues évocateurs, des noms étranges rencontrés dans la réalité. Tout peut contribuer à embellir sa vie si on s'y applique.

Suggestion de listes « Coups de cœur » :

- Des mots ou expressions que je trouve beaux
- Mes cafés, parcs, temples, films, fleurs, architectes, encens, parfums, bruits, mousses de bain préférés
- Les plus belles rivières, montagnes et forêts que j'ai vues
- Les plus belles fêtes que la nature m'ait offertes (couchers de soleil, aurores boréales...)
- Mes haïkus préférés
- La description d'inconnus croisés dans la rue qui m'ont impressionné

Les choses élégantes

> « Choses élégantes :
> Un rosaire en cristal de roche
> De la neige tombée sur les fleurs des glycines et des pruniers. »
>
> Sei Shonagon, *Notes de chevet*

L'élégance fait partie du domaine de la perfection et il est toujours possible d'en concevoir un degré supérieur, de repousser les frontières de la pureté et de la beauté. Qu'il s'agisse d'objets, de lieux, de demeures, ou encore de corps, tout doit être beau. Est beau ce qui réconcilie l'homme avec ce qui l'entoure et lui-même, ce qui crée l'harmonie entre l'homme et l'univers. Le beau doit être recherché pour les émotions, le trouble qu'il procure, et pour le plaisir qu'il apporte. Le beau se cherche, se conquiert. Il est plus que ce qui s'achète. Il est l'harmonie dans l'existence, le calme dans le cœur, cet accord parfait avec la part la plus noble de ce que l'on porte en soi.

Instants uniques

« Feux de brindilles
Heureux moments
Tête à tête »

Kobayashi Issa

Chaque instant contient une parcelle de l'éternité. La qualité d'un instant dépend de l'attention qu'on sait lui accorder. Pour cela, il faut se prédisposer au rêve. La jouissance, l'extase, la perfection, les émotions raffinées, le luxe en somme, se construisent, s'apprennent. « Plus notre faculté de contemplation se développe, disait Aristote, plus se développent nos facultés de bonheur. »

Il y a un temps pour chaque chose et une activité pour chaque instant. L'impression désagréable fréquemment éprouvée de « manquer de temps » ne vient pas d'une incapacité à se discipliner pour donner de la place aux plaisirs. Insatisfactions et frustrations viennent souvent d'un mélange et d'une confusion des genres : on travaille trop, mais pas assez bien. Et quand on se divertit, on ne se divertit pas complètement. Pourquoi ne pas vous amuser à faire la liste des activités d'une journée parfaite avec toutes les tâches entrecoupées de vrais moments de repos, de rituels ? Vous donner un quart d'heure de plus le matin pour prendre votre petit déjeuner dans un café avant de commencer le travail, acheter des fleurs le jeudi, faire le marché le samedi matin, avoir une routine de travail, une autre de vos petits plaisirs... Vous pouvez aussi noter vos émotions, ou plutôt ce qui, dans la journée, vous a été agréable.

Profitez de chaque jour. Transformez en plaisirs les tâches que vous considériez jusqu'alors comme des corvées. Sortir le chien peut être un plaisir, comme faire les courses. Même une journée sans rien de particulier peut être appréciée au maximum. Prenez le temps chaque jour de réfléchir aux plaisirs simples de la vie. Chaque journée bien vécue transforme hier en un souvenir de bonheur.

Suggestion de listes des instants uniques :

- Une journée idéale
- Des plaisirs qui forment une boucle dans le temps (un week-end complet, un après-midi de shopping, une soirée, une demi-heure de méditation, une année sabbatique...)
- Des petits plaisirs qui cassent la monotonie du quotidien
- Mon agenda de sorties (cinéma, amis...)
- Mes carnets de voyage
- Mes cahiers de vacances

Les plaisirs de la lecture

« Le plaisir se transforme en énergie. »
Albert Einstein

Puisque nous en venons aux plaisirs intellectuels, voici cet extrait de liste « Plaisirs de lire » citée dans *Le Monde* du 24 février 2004.

Lire un livre dans le lit avec la jambe droite pressée contre la jambe gauche de son amoureuse, qui lit aussi.

Lire le corps de son ami(e) du bout des doigts

Lire ou relire des classiques français aux toilettes

Lire (un peu) les dernières lignes du livre quand ça fait un peu peur et qu'on voudrait juste savoir si l'héroïne est toujours vivante à la fin...

Lire *Notes de chevet* pour la énième fois mais là, ce n'est pas celui de la bibliothèque, comme d'habitude, mais le sien, que l'on vient d'acheter

Lire en fumant des Dunhill

Commencer un livre quand le train part, et le finir juste avant l'arrivée

Relire son livre préféré

Découvrir avec émerveillement qu'un livre peut également se lire à l'envers

Lire des citations savoureuses, et les recopier dans un carnet pour les conserver comme des trésors

Lire la dernière page d'un livre pour connaître la fin de l'histoire

Regarder quelqu'un lire un livre qu'on aime

Si vous collectionnez les livres anciens, choisir de découper les pages au fur et à mesure de la lecture ou choisir de découper plusieurs pages d'un coup

Attendre un peu avant de tourner la dernière page

Aimer un livre que quelqu'un qu'on aime a aimé

Regarder une pile de livres

Mettre de côté des livres en pile pour les lire demain, la semaine prochaine, le mois prochain, bref plus tard

À la bibliothèque, regarder en coin son voisin tout en lisant Schopenhauer (délicat)

Faire la lecture à quelqu'un

Lire un livre de poésie à mi-voix

Attendre un livre qu'on a très envie de lire

Arrêter de lire et regarder le ciel

Lire toute la nuit

Pourquoi ne pas systématiquement noter, dans un carnet, les livres que vous lisez, avec le nom du lieu et la date à laquelle vous les avez finis ? Cette liste deviendrait un repère dans le temps. Voici un extrait de la mienne :

Septembre 1995, Paris, *Gatsby le Magnifique*, F. Scott Fitzgerald

Août 1998, Lisbonne, *Je suis un chat*, Natsume Soseki

1987, *Poèmes* d'Emily Dickinson, sous l'enseignement de Francis Berces, mon prof de fac préféré

1985, *Éloge de l'insécurité*, Alan Watts, les soirs frais d'été, dans le salon de Sam à Aptos, Californie, en sirotant des cocktails faits maison auprès du feu de bois

1989, *Le Livre du thé*, Kakuzo Okakura, Tokyo, dans ma petite chambre de 6 tatamis

1987, *Le Yoga, porte de la sagesse*, John Blofeld, dans l'avion lors d'un voyage en Thaïlande

1987, *Walden ou la vie dans les bois*, Henry David Thoreau, Banff, parc national canadien, en camping avec Sandy, Mark et Jeff. Un voyage de rêve, dans la plus complète insouciance de nos années d'étudiants.

1990, *Le Zen dans l'art chevaleresque du tir à l'arc*, Eugen Herrigel, pendant les vacances du Nouvel An, alors qu'il neigeait sur Tokyo

1994, *Gift from the Sea*, Anne Morrow Lindbergh, New York, dans le studio loué près de Central Park

1996, *Fukanzazengi*, *Shobogenzo*, *La Lune dans une goutte de rosée*, Maître Dogen, temple de Nagoya, à l'heure de la sieste

1997, *Notes de ma cabane de moine*, Kamo no Chomei, Tokyo, livre emprunté à la bibliothèque de Harajuku

1999, *Les Carnets d'Henry Ryecroft*, George Gissing, offert par Hajime à Tokyo.

2003, *La Ballade du café triste*, Carson McCullers, New York, chez Jean et Yukio, en regardant les écureuils sur le gazon

2004, *Nuages fous*, Rikku, offert par maman

2004, *L'Herméneutique du sujet*, Michel Foucault, offert par Hajime dans une librairie près du marché d'Aligre

2005, *L'Importance de vivre*, Lin Yutang, recommandé par Claude B., Paris

2005, *Travelling Light*, Philip Harden, lu à Tokyo, puis offert à John à Paris

2006, *Le Vrai Classique du vide parfait*, Lie Tseu, lu dans l'Eurostar

2007, *Aurore*, Friedrich Nietzsche, offert par Hajime, Paris

2007, *Ivresses de brume et de brouillard*, recueil de poésies bouddhiques de moines poètes coréens, du XIIIe au XVIe siècle, lu à la flamme d'une bougie, avec de la musique classique, le matin, au *Gamin de Paris*, dans le Marais.

En gardant une trace de ces lectures, vous aurez l'impression de retenir des fragments de vie où vous étiez heureux. La lecture peut laisser des souvenirs de grand bonheur. Prendre des notes de ses lectures aussi. Chacun des livres que nous lisons nous transforme et fait de nous la personne que nous sommes aujourd'hui. Lire est un voyage, une aventure, une rencontre ; prendre des notes de ces lectures, c'est comme faire des escales : réviser ce que l'on a ressenti, pensé et le mettre en mots avec ses propres mots. Lire, prendre des notes sont deux activités indissociables qui nous nourrissent autant l'une que l'autre. Et puis, si certains livres nous ont vraiment marqués, on peut toujours les relire. Comme disait Cioran, les livres qui comptent le plus ne sont pas ceux qu'on lit, mais ceux qu'on relit.

Suggestion de listes :

- Ma bibliographie
- Mes références bibliographiques
- Les livres à lire
- Les livres à relire
- Des notes de lecture

La culture

Films, expositions, conférences... comme pour la lecture, se constituer une liste dans laquelle noter les films, expositions, pièces de théâtre... aide non seulement à retenir le nom des artistes, des créations, et des impressions personnelles ressenties, mais aussi à garder trace de ces moments de plaisir. Brochures, tickets d'entrée, imprimés de toutes sortes ne font qu'encombrer les placards et n'apportent pas le même plaisir que voir, sur SA liste, ce que l'on a consigné personnellement.

Suggestion de listes :

- Films vus (une de mes amies découpe dans *L'Officiel des spectacles* le texte des films qu'elle a vus et les colle dans son agenda à anneaux)
- Expositions
- Conférences
- Musées
- Chefs-d'œuvre architecturaux
- Ballets
- Concerts
- Pièces de théâtre

Les listes sous forme de haïkus

> « Clair de lune, je rentre et me mets à écrire une lettre. »
> « Vieilles braises, je ne peux pas les gâcher, doucement je les attise. »

« Le petit journal de campagne, en une minute je l'ai lu. »

Trois haïkus de Hosai Ozaki

Ces haïkus, composés sur une seule ligne, donc pas sous leur forme traditionnelle, ressemblent presque à de simples phrases. Mais quelle intensité, quelle concision, quelle poésie !

À la façon de ce genre, vous pouvez transcrire les expériences que vous souhaitez transformer en souvenirs sous forme de phrases listes. Tout, dans la vie, est source de poésie. Les haïkus sont souvent une juxtaposition, une association d'idées, un collage de mots, la description de détails dans un ensemble. Ayez votre propre collection, et, sur ce modèle, lancez-vous. C'est avec de l'entraînement que vous parviendrez à exprimer beaucoup de choses en peu de mots.

Extrait de mes « Esquisses du Japon » :

La marchande de tabac d'Aoyama : visage semblable à un chiffon de papier de soie.

Squelette distingué du professeur de calligraphie.

L'enterrement de K. Y. : kimonos sévères et somptueux.

Vieux Ryokan de Nagano. Brasero. Un peu de thé amer infuse sur trois tisons.

Petits jardins du vieux Tokyo ; aucune feuille ne traîne.

Arai Ryokan, pierres, mousses, bois, patine des nattes lustrées.

Wakayama, gris-brun-vert du paysage.

Une pêche, enveloppée comme un joyau : cadeau de mon étudiante.

Rizière ; un héron posé au milieu des roseaux : vase ming ?

Les recettes du bonheur

> « Je découvre avec plaisir qu'il est sept heures et que je dois préparer le dîner. Haddock et saucisses.
> Je pense qu'on gagne une sorte d'emprise sur le haddock et la saucisse en les notant sur le papier. »
>
> Virginia Woolf

Que faire de sa vie pour trouver le vrai bonheur ? La vie a-t-elle un but ? Questions vaines et insolubles ? Voilà des questions d'ordre plus pratique que métaphysique, vous répondront les Chinois. Leur réponse à eux est simple : le plaisir. Prendre du plaisir à vivre est une attitude naturelle, et c'est pour cela que les côtés matériels et spirituels du plaisir sont indissociables. Il y a toujours une part de plaisir matériel et spirituel à aller faire un pique-nique, par exemple.

L'énumération de moments choisis peut résumer ce que l'on appelle une vie « heureuse ». C'est cette collection de tous ces petits brins de bonheur qui, mis bout à bout, vous prouveront que le vrai bonheur, ce n'est pas montrer une certaine image de soi aux autres ou essayer de leur donner celle qu'ils veulent voir, mais se réjouir au quotidien de mille petites choses inattendues comme le son d'un piano au loin, un éclat de rire, un sourire, le vol d'oiseaux migrateurs, un beau rêve. Elles vous rappelleront aussi que, même en période de difficultés, chaque moment contient quelque chose de bon. En faire la liste peut changer une vie.

Le bonheur a moins à faire avec les événements eux-mêmes qu'avec la manière que nous avons de les vivre. Il dépend de notre capacité intérieure à sentir et percevoir avec ses sens toute nouvelle expérience, à s'émerveiller, à apprécier la vie et ses changements.

Les journaux intimes sont souvent le réceptacle de sentiments négatifs. À l'inverse, faire des listes de belles et bonnes choses donne une puissance positive à ce que l'on écrit et nous en apporte en retour.

En couchant sur le papier ces choses et ces moments heureux, votre moi futur se souviendra comment être heureux. Ces listes constitueront alors, comme votre livre de recettes, des recettes de bonheur.

Quelques petits plaisirs...

Écouter de la musique de Bach en regardant la pluie

Regarder de vieux films en noir et blanc tard la nuit, quand tout dort

M'enrouler dans un bon manteau chaud et partir marcher l'hiver

Faire un pique-nique

Écouter le chant des grenouilles la nuit en été

Être sur le pont d'un bateau en mer

Observer Paris du haut de la tour Eiffel ou d'un toit

Prendre le funiculaire

Le moment où l'avion traverse les nuages pour s'élever dans l'air

Regarder les bulles de champagne se cogner contre le cristal et remonter à la surface en un ballet élégant

Marcher pieds nus sur une moquette épaisse

Prendre un taxi anglais

Me lever avant le jour, sachant que je ne pourrai faire la sieste

Couper un gros bouquet de lilas encore mouillé de rosée

Sentir l'odeur du café et du pain chaud déjà prêts à mon lever

Plier du linge fraîchement lavé

Aller me coucher dans une pièce où vient de brûler de l'encens

Le parquet qui craque sous les pas

Un bain de source thermale en extérieur, sous la neige

Tout ce qui est patiné : un cuir, un meuble, un jean

Les bougies dans la semi-pénombre d'un salon

Laisser sécher ses cheveux au soleil

Suggestion de listes « Mes 1 000 petits plaisirs » :

- Par saison
- Dans la journée
- Par pays
- Avec une personne qui m'est chère
- Seul
- Dans certains lieux

Le plaisir des sens

Mettons-nous véritablement nos sens à profit ?

Avant la pensée, il y a les sens. Tout passe par eux. Reconnaître leur existence, les affiner, les aiguiser, toujours et encore, c'est comme avoir plus de... vie.

Quels sons entendez-vous à l'instant même ? Quelles odeurs sentez-vous ? Êtes-vous assis confortablement ?

Le fait de ne pouvoir ressentir pleinement les joies de la vie ne serait-il pas dû à une sensibilité émoussée de nos sens et au peu d'usage que nous en faisons ? Savons-nous apprécier les parfums de midi et ceux de la nuit, ceux de l'hiver et ceux de l'été ?

La beauté est un ornement de l'ordinaire qui exige de nous de l'attention : nous devons la cultiver. D'où l'importance de faire la démarche concrète de nommer ses sensations en termes précis. De l'exactitude naît la qualité.

Nous habitons corporellement l'espace et le temps ; notre corps est le filtre par lequel nous nous approprions la substance du monde et il mérite que l'on entreprenne, pour mieux l'apprécier, une quête méticuleuse de tous les sons, les odeurs, les touchers ou les images qui le traversent à chaque instant.

Sans l'une de ces sensations, nous serions complètement privés d'une partie de notre corps. Entretenir ses facultés sensorielles, les préserver, les protéger et les développer sont possibles à tout âge à condition de bien vouloir s'initier. Reconnaître les vins, les goûter, les apprécier, avoir à son arc toutes les flèches pour les décrire, en vanter les effluves, être capable de les comparer, d'en humer les notes, de les célébrer, cela s'apprend. On s'étonnera par la suite d'avoir été si peu sensible autrefois à tant de plaisirs. Tout sommelier a noté, lors de son apprentissage, la liste des vins qu'il a testés, les caractéristiques de chacun.

Exister, c'est d'abord reconnaître la réalité de ses sens, puis s'exercer à les affiner, les corriger, les démentir parfois, afin d'apporter une autre saveur à sa vie. Plus ceux-ci seront « travaillés », plus ils seront sources de joies, de réminiscences, de ravissements. Les sens ont le pouvoir de nous transporter dans un monde merveilleux. Les listes nous en ouvrent la porte...

Le visuel : couleurs, formes, volumes, lumières...

> « Choses qui gagnent à être peintes :
> Un pin
> La lande en automne
> Un village dans les montagnes
> Un paysage d'hiver quand le froid est extrême »
>
> Sei Shonagon, *Notes de chevet*

On a tous des images en tête en regardant. Et regarder s'apprend. Un photographe reconnaîtra immédiatement un visage photogénique, un esthète la beauté de la lumière un soir d'été, un chef cuisinier le poisson à la chair la plus délicate. Pour saisir les nuances d'une couleur, pour en construire l'évidence, il faut des mots, sinon elles resteront invisibles. Il y a trois siècles, les fabricants japonais de teintures de kimono possédaient cent dix mots rien que pour le noir, quatre-vingt-dix pour le gris. Les Esquimaux, eux, utilisent une quinzaine d'adjectifs pour décrire les différents blancs de la neige.

Tout homme peut virtuellement différencier des milliers de couleurs. Mais il lui faut des mots pour les identifier. Inversement, l'apprentissage de nouvelles distinctions « élargit » notre palette de connaissances. Se constituer un vocabulaire chromatique, c'est comme faire une collection. Le même processus peut s'appliquer aux formes, aux volumes, à la qualité de la lumière, des ombres...

J'aime regarder

Les étoiles filantes
La danse des martinets dans le ciel d'été
Paris vu des toits
Une araignée prendre un moustique dans sa toile
Les coquelicots
L'ombre des choses dans un lieu éclairé aux bougies
La neige tomber
La variété infinie des visages

Et vous ?

Suggestion de listes :

- Les expressions se rapportant à tout ce qui est visuel
- Ce que j'aime regarder
- Les couleurs
- Les ombres, les « irisés », les dégradés, les reflets
- Les nuances
- Les formes
- Les volumes
- Les surfaces
- Les lignes
- Les silhouettes
- Les flous et les dégradés

L'olfactif

« Quand d'un passé ancien rien ne subsiste, après la mort des êtres, après la destruction des choses, seules, plus frêles mais plus vivaces, plus immaté-

> rielles, plus persistantes, plus fidèles, l'odeur et la saveur restent encore longtemps comme les âmes, à se rappeler, à attendre, à espérer, sur la ruine de tout le reste, à porter sans fléchir, sur leur gouttelette presque impalpable, l'édifice immense du souvenir. »
>
> Marcel Proust, *Du côté de chez Swann*

Peut-être plus que les images, les saveurs ou les sons, les odeurs possèdent une rare puissance d'évocation, ravivant instantanément notre mémoire. Elles peuvent nous emporter loin, très loin dans le temps, nous ramener d'un trait à l'enfance, à une personne, à un lieu, à une situation. Utilisées sous forme de parfum pour séduire ou tout simplement se faire plaisir, elles agrémentent notre présence d'un charme supplémentaire, donnent de nous une image spécifique, ajoutent à notre apparence la note subtile indispensable. Elles nous distinguent, nous apportent confiance en nous, nous révèlent.

Dans le registre thérapeutique, elles ont le pouvoir d'apaiser, d'influencer le moral, de lutter contre le stress, l'angoisse ; l'engouement pour l'aromathérapie en apporte la preuve. Des expériences sur des malades dans le coma ont prouvé qu'en présence de certains parfums ils pouvaient même verser des larmes de joie (*cf. La Saveur du monde*, de David Le Breton). Respirer certaines odeurs raviverait le goût de vivre de patients l'ayant perdu, faisant ressurgir des sensations profondément enfouies et refoulées. Dans l'Europe d'il y a cinq cents ans, les soldats utilisaient des épices parfumées pour faire oublier aux blessés leurs souffrances. Aujourd'hui, certains médecins utilisent auprès de malades en phase postopératoire certains effluves d'huiles essentielles pour les détendre (lorsque les patients attendent par exemple le résultat d'analyses cancéreuses).

Enrichir et développer son sens olfactif ne sont donc pas seulement « un de ces autres plaisirs ». C'est une des clés du bonheur.

J'aime respirer

Le cèdre et le pin dans les scieries
La poussière de Grand Central Station à New York
La fourrure de Shushu la féline
Le bois encaustiqué
Une allumette qui vient de craquer
L'encre du journal du matin
Une cuisine où du pain cuit
La peau (c'est ainsi que les Asiatiques s'embrassent...)

Et vous ?

Suggestion de listes :

- Les odeurs particulières de certains lieux, de certaines choses
- Mes plaisirs olfactifs
- Les odeurs de mon enfance
- Mes odeurs préférées dans la nature
- Le vocabulaire et les expressions ayant trait aux parfums que j'aime (thés, lichens, encens...)

Le goût

> « Pelant une poire
> De tendres gouttes
> Glissent le long du couteau »
>
> Haïku de Shiki Masaoka (1867-1902)

Le goût (savourer, déguster) est, comme pour les autres sens, un art qui s'éduque, qui s'acquiert. Sans cet apprentissage, nos sens seraient comme handicapés, diminuant nos chances de parvenir à une plus grande qualité de vie, une meilleure santé, une sensibilité plus développée et, le plus important, une conscience plus éveillée.

Ce n'est qu'en dégustant lentement chaque bouchée que vous pourrez en apprécier les saveurs. Entraînez-vous avec un grain de raisin, une amande, du riz complet. Concentrez-vous sur une seule bouchée. Avant d'ingurgiter, sentez, goûtez, mastiquez, mâchez et n'avalez qu'après être sûr de tout avoir bien expérimenté. Vous découvrirez divers goûts selon les étapes de la mastication. Essayez alors de décrire ces sensations en termes aussi précis que possible. Quel goût a la betterave, la coriandre, le café moka ?

Plus vous aurez de vocabulaire pour décrire ce que vous goûtez, plus vous prendrez conscience de perceptions qui jusque-là vous échappaient, plus vous saisirez de nuances dans vos sensations. C'est en apprenant qu'un champagne a un goût de framboise que vous en apprécierez vraiment tous les arômes, toutes les saveurs. Vous vous étonnerez alors d'y avoir été si peu sensible auparavant.

Décrire ses sensations enrichit l'intellect, invite à la curiosité. À l'amour de la vie aussi, bien sûr. Notre univers s'élargit, s'enrichit, plus de plaisirs et de prises de conscience s'offrent à nous. Chaque plaisir nouveau nous transforme à chaque nouvelle expérience.

J'aime goûter

Les œufs de saumon cru qui claquent sous la langue
L'amertume qui reste en bouche après un thé Tung-ting
Un vrai concombre de jardin
La sensation du chutney sur ma langue
La fraîcheur d'une feuille de laitue au contact d'un peu de cheddar
Un foie gras glacé sur un toast chaud
Un sushi d'oursin frais

Et vous ?

Suggestion de listes :

- Les termes se rapportant aux aliments, aux boissons
- Le nom des aliments, boissons, plats cuisinés que je découvre pour la première fois
- Les goûts que j'aime
- Les goûts que je n'aime pas
- Les aliments classés selon les cinq goûts (salé, sucré, acide, amer, âpre)
- Mes associations de goûts préférés
- Mes plaisirs olfactifs

Le toucher, le sentir

> « Le bonheur, c'est aussi le toucher. Thomas passait pieds nus, de la surface lisse du plancher au froid du dallage de pierre dans le corridor et devant la porte, à la rondeur des galets sur lesquels séchait la rosée. »
>
> Czeslaw Milosz, *Sur les bords de l'Issa*

Albert Palma, auteur de *Geïdo, la voie des arts*, dans une interview de Philippe Nassif : « Les sens, une fois éveillés, transfigurent la raison. »

Toucher, joindre, aborder, émouvoir, intéresser, percevoir, sentir, connaître... L'acte de toucher intervient dans la vie de tous les jours. Toucher nous est nécessaire pour vivre, pour être en contact avec tout ce qui nous entoure : êtres, objets, éléments. Nous ne pouvons prendre conscience de soi qu'à travers ce que nous touchons, sentons, dans tous les sens du terme.

Toucher nous permet non seulement de communiquer, mais d'évaluer, d'apprécier, d'exprimer nos émotions, nos plaisirs, d'exprimer le fait d'être en vie (une section de peau de la taille d'un euro possède quelques millions de cellules). Sentir, toucher sont donc essentiels pour aviver la conscience de soi. Si un homme perdait le toucher, disait Rodin à Camille Claudel, il mourrait. Selon le type de toucher que nous recevons, nous pouvons être soit plus calmes ou plus excités, soit plus « conscients » de la réalité qui nous entoure.

J'aime sentir et toucher

La chaleur du soleil à travers les vitres en hiver
Les premiers flocons sur mon visage
Les massages
Les premiers soirs frais après la canicule
Une veste en cuir « faite »
Un pépin de confiture de framboises qui craque sous ma dent

Et vous?

Suggestion de listes :

- Ce que « toucher » représente pour moi
- Ce que « sentir » représente pour moi
- Les façons dont je peux « toucher » les autres
- Les matières qui m'apportent un plaisir tactile
- Les matières qui m'irritent tactilement
- Les sensations du toucher et du sentir qui me sont vitales
- Les sensations que j'aimerais développer

Les sons

« J'entends le bruit du ruisseau Heywood qui se jette dans l'étang de Fair Heaven, son qui apporte à mes sens un réconfort indicible. Il me semble vraiment qu'il coule à travers mes os. Je l'entends avec une soif inextinguible. Il calme en moi une chaleur de sable. Il affecte ma circulation; je crois que lui et mes artères sont en sympathie. Qu'est-ce donc que j'entends, sinon ces

> pures cascades au-dedans de moi et là où circule mon sang, ces affluents qui se jettent dans mon cœur. »
>
> H. D. Thoreau, *Walden ou la vie dans les bois*

L'un des fléaux les plus nocifs pour la santé de notre système nerveux est la pollution sonore. Tout au long de la journée, nous sommes assaillis de sons, de bruits, de musiques. Nous ne pourrions en faire l'inventaire complet mais leur prêter attention, aussi bien pour s'en défendre et s'en protéger que pour profiter de ceux qui nous sont bons, est possible. Et c'est dans ce but que tenter d'en établir un inventaire peut nous rendre plus sensibles à notre environnement et nous donner les moyens d'en augmenter, si peu que ce soit, la qualité. Mille formes de violence sonore s'insinuent presque à notre insu dans notre quotidien. Pourquoi les gouvernements ne lancent-ils pas des campagnes d'antipollution sonore, comme ils le font contre le tabac ?

Liste de quelques-uns de mes bruits préférés

Les pas qui crissent dans la neige
Les vagues
La chouette hululante
La pluie sur un tissu de toile (tente de camping, parapluie)
Marcher sur un tapis de feuilles mortes qui craquent sous les pas
Un feu de bois qui crépite

Le bruit des sirènes de bateau sur la Tamise embrumée

Et vous ?

Suggestion de listes :

- Les bruits que je peux changer, atténuer ou supprimer (la sonnerie de mon téléphone, la fermeture scratch de mon sac de sport, les pieds de chaise crissant sur le carrelage – mettre des patins en feutre –, etc.)
- Ce que j'aime entendre
- Les bruits de mon environnement (à repérer avant d'emménager dans un nouveau lieu)
- Les sons que j'aime en tel endroit
- Les choses que j'entends avec une émotion particulière

Se nourrir de musique

> « Si la musique est la nourriture de l'amour, jouez-en. »
>
> Shakespeare

Si j'accorde une place privilégiée à la musique dans ce chapitre, c'est qu'elle est un des vecteurs les plus puissants d'émotions et de sensations qui puissent être. Certains affirment même qu'elle est capable d'apporter autant de plaisir que l'amour ou la nourriture. La musique remplace parfois largement toutes sortes de paroles. Écouter Mahler en regardant un coucher de soleil ou la *Siciliana* de Bach à un enterrement exprime tellement plus et mieux que n'importe quelle exclamation ou parole de réconfort !

Plaisir apparemment superficiel, la musique peut pourtant nous conduire à des sensations et des émotions assez profondes pour être susceptibles d'ordonner, de réordonner notre vie. Confucius allait même jusqu'à penser qu'elle avait un pouvoir civilisateur. Elle nous aide à restructurer notre esprit, chasse l'ennui ou l'anxiété, nous rassure, nous apaise, nous stimule... Elle devrait toujours rester un choix : si elle orchestre nos émotions, nous pouvons, nous, en contrôler la perception.

Les sensations et les émotions que la musique suscite en nous sont trop fortes et intenses pour que nous les traitions à la légère. Pour moi, écouter du Chopin lorsque j'ai le cafard ou du rock quand mes nerfs sont à fleur de peau, c'est mettre de la crème dans mon café jusqu'à écœurement ou prendre un double espresso alors que je veux m'endormir.

La musique est un art vivant. Son plaisir est charnel. Ses vibrations pénètrent le corps, le caressent, le font frissonner et, du corps, montent à l'esprit. C'est en prenant part au plaisir d'écouter de la musique, activité apparemment absurde mais fondamentale et merveilleuse, que nous parvenons au cœur de la réalité, que nous comprenons mieux ce paradoxe : c'est au-delà du sens que se trouve la signification profonde du monde.

Choisir les choses dont nous allons nourrir notre esprit est tout aussi important que de choisir ce que nous allons donner à notre corps. Les techniques actuelles nous permettent de faire nos propres listes de musiques, des listes qui correspondent parfaitement à nos humeurs du moment, aux lieux et aux circonstances. On peut imprimer une humeur et une couleur à une chanson, faire hiberner certains disques tout l'hiver pour qu'ils restent associés à l'arrivée du printemps, se réserver des disques pour le matin, d'autres contre la tristesse, d'autres enfin à l'entretien complaisant de cette même tristesse. Voilà les choix d'un vrai mélomane ; être mélomane, cela s'apprend aussi. Pourquoi ne pas essayer d'écouter de la bossanova en admirant des montagnes enneigées ? disait quelqu'un. C'est à nous de composer les enchaînements musicaux qui nous apporteront ce dont nous avons besoin à un moment précis. Rares sont les CD que nous avons un réel plaisir à écouter en boucle. Pourquoi attendre qu'une fugue de Bach soit terminée pour écouter le prélude tant attendu ?

Ce que j'aime écouter

Les sons de la nature (la pluie, une cascade, les vagues de la mer, les insectes, le bruissement des feuilles dans le vent, le hululement de la chouette...)

Un fond de musique classique en cuisinant

Les Beatles périodiquement

Vivaldi, lorsque j'ai besoin de me ressourcer

Certaines musiques de films (*Le Patient anglais, Nos plus belles années, L'Odeur de la papaye verte*) inlassablement, lorsque j'écris ou lis

Des chansons de mon enfance quand je suis chez mes parents

La musique coréenne ancienne instrumentale, lorsque je ne veux plus éprouver aucun sentiment

Des airs qui me rappellent certains moments heureux de mon passé (j'ai une chanson particulière pour chacun de mes anciens amants)

La musique de koto ou de shakuachi japonaise lorsque j'ai besoin de retrouver mes repères

Les airs de « ma » génération et de mes « jeunes » années (Simon and Garfunkel, Bob Dylan, David Bowie...)

La musique nostalgique de jazz américain de l'après-guerre (surtout le soir, quand tout est calme)

Et vous ?

Suggestion de listes musicales par genres pour :

- Se relaxer
- Travailler
- Écrire
- Lire
- Écouter seulement
- Aller se coucher
- Recevoir des amis à dîner
- Faire le ménage
- Prendre son bain
- Se réveiller le matin
- Faire du yoga
- Faire de la méditation
- Écouter la pluie
- Passer une soirée romantique
- Se plonger dans la nostalgie
- Se souvenir de certains voyages, certaines personnes

Les listes de conjugaisons des sens

Avoir isolé chacun de ses sens pour mieux les connaître est nécessaire, mais c'est de leur addition que naissent les stimulations et la vie. Un thé chinois servi dans une théière lourde et grossière n'apporte pas le même plaisir que servi dans une théière chinoise et bu dans les tasses assorties. Manger des asperges en hiver n'apporte pas la même satisfaction que les premières asperges du printemps, redécouvertes presque un an après, comme le lilas ou les châtaignes grillées. Regarder un feu de bois apporte du plaisir à tous les sens...

Liste pour s'amuser : « Les trios plaisir »

Cherchez ce qui va ensemble pour parfaire vos petits plaisirs et amusez-vous à composez des trios comme ceux-ci :

Massage, encens, musique douce
Café, chocolats à la menthe, une cigarette
Fauteuil, lampadaire et une pile de bouquins
Du chèvre, du pain bis et un peu d'eau-de-vie pour un pique-nique en montagne

Le plaisir de se relire

Nos listes de rêves, d'aspirations, de réflexions, d'expériences personnelles, de nos plaisirs vécus ou à vivre, de nos citations et poèmes préférés peuvent devenir notre collection la plus précieuse. Quelles que soient ces listes, il faut toujours les garder. Elles apportent du plaisir et une nouvelle lueur sur la connaissance de soi. Le véritable plaisir de les relire ne viendra que lorsque nous en aurons oublié le contenu. Nous pourrons alors savourer certains souvenirs comme un excellent vieux vin. De leur ancienneté dépendra leur prix.

Quel plaisir aussi de se relire, de tourner les pages de l'atlas de sa propre vie, de voir défiler sous ses yeux tout ce que l'on a aimé, ce qui nous touche, toute cette richesse qui est la nôtre !

Cinquième partie

Les listes mode d'emploi

Les listes et leurs supports

Le carnet, votre compagnon le plus intime

« Le moleskine, le légendaire petit carnet noir de Van Gogh, Matisse ou Hemingway, sur lequel, d'année en année, je notais couleurs et visages, anecdotes, choses vues, titres de chansons, noms d'hôtels, citations éparpillées allant de Yourcenar à Picabia, d'Aristote à Bob Dylan... Petit trésor accumulé depuis toujours, composé de proverbes navajos, kurdes, de statistiques, d'expressions argotiques relevées dans la rue ou un bistrot, de trivialités remarquées dans un magazine, de réflexions au cours d'un voyage ou d'un reportage, une interview, le matériau de base pour ce qui deviendrait, ensuite, un livre ou un article de presses ; perles précieuses, parfois prémices de ce qu'ils deviendront. J'y avais souvent trouvé les titres de mes films, mes livres, une inspiration pour une phrase clé d'un discours que je préconcevais, minuscules volumes noirs qui n'avaient pas de prix. Ils constituaient mon outil de travail... »

Philippe Labro, *Tomber sept fois, se relever huit*

Le carnet, assemblage d'images mentales, de gribouillages, de textes personnels, chipés ou copiés, de rêves, de recherche, de notes de voyage... est notre compagnon le plus intime. Nombreux sont ceux qui ressentent le besoin de répertorier, de prendre des notes, de collectionner les idées, les images, les pensées, de les classer, de consigner de façon systématique, au fil du temps, réflexions et commentaires, de rédiger des maillons de leur existence, de développer un thème...

Les meilleures idées nous viennent souvent comme des éclairs, quand et où nous nous y attendons le moins. Mais elles repartent tout aussi facilement. On se sent alors frustré de ne pas les avoir retenues. Il faut être réaliste : nous ne pouvons tout retenir. Et être assez discipliné aussi, pour prendre des notes : tant d'idées nous traversent l'esprit à chaque instant ! Le carnet, compagnon d'errance ou de consolation, permet à tout moment de disposer de chacune de nos pensées. Il est le support de notre personnalité, indispensable, voire pour certains obsessionnel. Il est donc sage de toujours avoir avec soi de quoi noter : son carnet.

Le carnet, objet fétiche

J'ai eu un jour la chance, à Tokyo, de visiter une exposition de calepins anciens et j'ai été fort impressionnée par un vieux Filofax du XIXe siècle (l'une des marques d'organizers les plus connues aujourd'hui).

Son concept avait été inventé par une agricultrice américaine qui voulait noter ses « files of facts » (dossiers de faits) de façon systématique et rationnelle. Récoltes, recette des ventes, liste des semences à se procurer pour la saison suivante, nouvelles recettes de cuisine, visite de tel ou tel voisin..., tout de son quotidien, travail et vie privée, était là, sur les pages de son organizer ; on devinait, à la netteté de son écriture penchée et à ses longues listes de chiffres parfaitement alignées, le genre de personne honnête et organisée qu'elle devait être. Et puis je n'oublierai jamais non plus les minuscules calepins rouges de notes de Nabokov, près desquels reposaient ses lunettes aux verres fumés et à l'épaisse monture noire, ainsi que son énorme Montblanc patiné, exposés en vitrine dans le hall d'entrée de la bibliothèque publique de New York.

Un bon carnet finit par devenir comme une extension, une partie de soi sans laquelle on se sent vide.

Le carnet, comme le sac à main, peut constituer une passion. Il y a des fous de maroquinerie. Rester fidèle à son bon vieux carnet aux coins élimés, taché par le temps, peut représenter un plaisir personnel de chaque instant. Le voir se patiner, se remplir, sentir ses pages vierges, douces et lisses, les sentir fines et souples sous les doigts ou desséchées par le temps, regarder, pour le plaisir des yeux, son écriture les noircir de rouge, de bleu, mais aussi de vert pour les rêves, d'encre dorée pour créer ou recopier un poème, sentir l'odeur des feuilles, de l'encre, perpétuer un même rituel de la présentation, du papier, du stylo, de l'encre, application et goût de la belle écriture, puis refermer le « livre de sa vie » sur le bruit sourd de son épaisseur, le cliquetis du fermoir... tout cela va de pair avec le plaisir physique, charnel de l'écriture.

Composez vos textes avec autant de précision et de concision qu'un haïku ou une notice d'explication avant de les reporter sur votre liste définitive pour éviter les ratures. Vous pouvez aussi écrire au crayon à papier. Faites des colonnes pour les dates, les noms, soignez la présentation. Cela vous incitera à poursuivre cette « collection ». Un carnet mal tenu décourage et finit un jour à la corbeille.

Utilisez toujours le même carnet. Conservez les feuilles avec leurs encres et leurs écritures différentes pour leur présence dans l'instant de la pensée au jour qui les a vues naître. Un carnet de listes qui change de support n'est plus le même.

Quel support choisir pour ses listes ?

Pour faire des listes, il faut d'abord décider, une fois pour toutes, de l'endroit où on les consignera. Carnet, ordinateur, carte mémoire... le choix est à chacun, mais il est impératif de se choisir un support non exhaustif. Anecdotes, citations, mots pour rire, tabloïds (pourquoi pas)..., chacun peut collectionner tout ce qui lui tient à cœur mais il ne doit pas se sentir limité sur la page et éparpiller les éléments d'un même thème dans plusieurs cahiers. Sinon, ces listes ne seraient plus des listes et auraient perdu leur raison d'être (vue globale, panoramique, comparaisons, connotations, références...).

Carnets avec systèmes de classification, onglets, préformes d'adresses, d'e-mails..., ces carnets s'alourdissent tant qu'on finit par les laisser à la maison et qu'on se remet à tout noter sur des morceaux de papier, dans un coin de sa tête, sur des stickers qu'on fourre ensuite dans ses poches, dans son sac ou entre les pages d'un livre. Une fois de plus, on s'y perd. Calendriers au mur griffonnés, mémos sur le coin du buffet, au fond du panier, on cherche toujours ce qui a disparu au moment où on en a besoin, et on n'a qu'une crainte, perdre le précieux billet portant le numéro indispensable. Ce qu'il faut, c'est un bon système d'organisation auquel on peut faire confiance, c'est-à-dire pratique et toujours à portée de main. Pour ceux qui n'ont pas d'ordinateur, la question ne se pose pas. Tout sera noté sur papier. Mais ne commencez jamais vos listes dans des cahiers, même épais : le but d'une liste est d'être flexible, de pouvoir regrouper mais aussi enrichir sous la forme d'un « tout » divers éléments d'un même thème. Une fois plein, un cahier ne permet pas d'ajouts.

Carnets et organizers

Une liste, par définition, est extensible et le cahier, une fois rempli, doit être remplacé. Ma suggestion est donc d'avoir deux supports : l'un, dans la section « Notes » de son petit organizer de poche (pour noter les idées au fur et à mesure qu'elles surviennent, où que l'on soit), et l'autre, chez soi, sur une base de données solide, à savoir votre ordinateur ou un organizer à anneaux. Régulièrement vous pourrez alors faire le tri du vrac de votre petit organizer et consigner ce que vous jugez bon de garder, au propre, dans des listes impeccablement classifiées et ordonnées. Si votre carnet à anneaux, votre organizer, est vraiment plein, vous pourrez vous procurer, dans le commerce, des organizers spéciaux pour archiver vos anciennes listes.

Les organizers de taille « bible » (un peu plus grands qu'un livre de poche), avec des anneaux de 30 millimètres, sont ceux qui contiennent le plus tout en se glissant facilement dans un sac de ville. Vous pouvez noter, sur les premières pages, votre liste de listes pour mieux les retrouver. Préférez annoter vos pages avec des lettres plutôt que des chiffres. Les chiffres ne sont pas extensifs. Mais le A de l'alphabet peut contenir plusieurs éléments épars. Comme dans un dictionnaire. C'est simple, pratique, rapide et tellement logique !

Grandes catégories :
1. Vie pratique
2. Santé, alimentation, hygiène
3. Vie sociale
4. Vie personnelle
5. Divers

Sous-catégorie « Vie pratique » :
- Courses à faire

- Vêtements
- Finances
- Choses à faire
- Astuces de la fée du logis
- Jardinage
- Etc.

Sous-catégorie « Santé, alimentation, hygiène » :
- Recettes
- Médicaments à prendre en cas de telle ou telle maladie
- Carnet de santé
- Carnet gastronomique
- Etc.

Sous-catégorie « Vie sociale » :
- Les invitations
- Les cadeaux faits ou reçus
- Les sorties entre amis
- Les cartes de vœux reçues
- Les cartes de vœux envoyées

Sous-catégorie « Vie personnelle » :
- Mes rêves
- Mes problèmes et les solutions envisageables
- Mes 1 000 petits plaisirs
- Mes lectures
- Etc.

Sous-catégorie « Divers » (à classer par thèmes précis) :
• Voyages
• Visites de parcs floraux (si les parcs sont votre passion, par exemple)
• Les influences de la lune
• Le sport de combat
• Etc.

Ce système de classification n'est qu'un exemple. C'est au fil du temps que vous trouverez le système qui vous convient le mieux personnellement ; deux systèmes personnels ne seront jamais identiques. Faire des listes oblige à se connaître, à se trouver.

Si vous utilisez beaucoup l'ordinateur, vous pouvez aussi, bien sûr, ordonner vos listes dans celui-ci. Voici, par exemple, le système de « listing » d'une de mes amies journaliste très occupée, vivant aux quatre coins du monde, et pourtant parfaitement organisée et sereine. Il est composé de grandes catégories d'activités, comportant elles-mêmes de nombreuses ramifications :

Média, presse écrite, communication
• Journalistes
• Travaux de publication
• Documentaires réalisés
• Presse écrite
• Radio
• Etc.

Dossiers, revue de presse à conserver (sur papier, dans de gros classeurs)

- Terrorisme
- Couple
- Femmes
- Bébés
- Etc.

Notes personnelles
- Finances
- Astrologie
- Collection d'œuvres d'art personnelles
- Etc.

Dossier « M. » (son mari)
- E-mails
- Blagues
- Nos meilleurs moments
- Notre mariage
- Nos photos en commun...

Dossier comptes finances divers
- Articles pas encore rémunérés
- Réclamations
- Rappels
- Etc.

Dossier de tous les codes
- Codes bancaires
- Codes sur différents sites Internet
- Codes d'appartement

Dossier par pays avec des sous-catégories pour chacun

- Choses à faire
- Personnes à voir
- Activités diverses
- Pourquoi j'aime ce pays

Travaux en cours
- Articles à écrire
- Références à rechercher
- Personnes à contacter

Le papier

Quant au papier, les feuilles les plus fines sont celles qui permettront d'enregistrer le plus de choses dans un seul et unique endroit. Les petits carreaux de 5 millimètres sont l'idéal pour écrire sur chaque ligne. Celles-ci obligent à une présentation régulière et claire. Pour les personnes écrivant assez gros, un agenda de la taille supérieure est une bonne idée. Et si vos listes deviennent vraiment abondantes, pourquoi ne pas avoir un carnet pour « Simplifier les mécaniques du quotidien », un autre pour « Mon autoportrait » et ainsi de suite ?

L'ordinateur

Comme son nom l'indique, il ordonne. Il offre même des formes préfixées de listes. À chacun sa méthode...

Le mémo de poche le plus léger

Les assistants numériques personnels type « Blackberry » sont compliqués et chers, les organizers lourds à transporter. Enfin, pour ceux qui ne voudraient même pas s'encombrer d'un petit carnet, rien ne vaut une feuille de papier. On voit encore à Tokyo des personnes d'une autre génération sortant de la poche de leur chemise une grande feuille de papier pliée en 4 ou 8 volets, de façon à tenir dans la paume de leur main. Chaque face pliée représente une feuille de mini-agenda. Très pratique pour noter de nouvelles idées en attendant un bus, griffonner n'importe quoi comme un code d'entrée ou un numéro de téléphone. Certaines personnes ne gardent-elles pas leurs numéros de téléphone importants sur une feuille dans, comme son nom l'indique, leur portefeuille ?

Où garder son carnet ?

Votre agenda n'est pas seulement le répétiteur de vos tâches mais un compagnon omniprésent qui transcende la simple productivité et sert de curateur à vos pensées, à vos désirs et à vos aspirations. Il peut devenir l'habitacle d'un monde magique et secret ! Chez vous, gardez toujours votre carnet sous la main. Pour bien dormir la nuit, gardez-le à votre chevet pour y noter ce que vous avez peur d'oublier de faire le lendemain. Inscrivez-y vos rêves le matin, directement au lever. Dans la journée, il vous sera utile dans la cuisine (pour les recettes), dans le salon, sur votre bureau de travail.

Ne laissez pas traîner la mise à jour de vos notes. Quand tout est fait en temps voulu, vous pouvez vivre pleinement le moment présent. Essayez. Vous vous sentirez dans une forme que vous n'avez jamais ressentie auparavant ! Rangez ce que vous voulez garder d'intime dans un endroit sûr (valise qui ferme à clé, petit coffre-fort de comptabilité...).

Comment faire ses listes

Comment commencer ?

Le plus difficile, pour commencer, est de trouver la manière de les organiser, leurs titres de chapitre, de rubrique. Par où commencer sa liste de souvenirs, de rêves... ? Commencez tout simplement là où vous en êtes aujourd'hui. Un carnet de listes ne se fait pas en quelques jours ou quelques semaines. Il se construit peu à peu, au fil du temps, des humeurs, des réminiscences, des occasions.

Vous pouvez aussi commencer par les listes qui vous tentent le plus.

Ou encore par un événement récent. Par exemple, si vous venez de recevoir un cadeau, inscrivez, en haut d'une page vierge « Cadeaux reçus », datez et notez ce que vous avez reçu, de qui et pour quelle occasion. Bientôt, toutes sortes d'autres listes suivront. Patience.

Vous ferez des erreurs au début (classification, présentation...), mais c'est par ces tâtonnements que vous trouverez le style de présentation et d'expression qui vous convient le mieux.

Les différentes formes de listes

Les notes de lecture

Pourquoi garder tous les livres lus ? Une des causes de l'encombrement dans la maison est leur nombre croissant. Or, parmi ceux que vous possédez, combien en avez-vous déjà relus ? Et combien de nouveaux encore aurez-vous envie de lire ? Les livres non seulement attirent la poussière, mais ils grignotent toujours et encore plus de place sur notre espace vital qui, lui, n'est pas extensible. Pourquoi ne pas vous défaire de ceux que vous ne relirez probablement pas en les donnant à des amis, des bibliothèques, ou en les revendant pour que d'autres puissent en profiter ? Vous pouvez prendre des notes de ces livres et ne garder que les ouvrages que vous appréciez particulièrement, ceux auxquels vous vous sentez intimement lié (vos compagnons de vie), ou ceux auxquels vous vous référez souvent. Faites circuler les livres. Ne gardez que vos préférés.

Les listes sur différentes couleurs de papier

Papier à lignes, de couleur... toutes les fantaisies sont permises. Noter les listes du quotidien sur du papier rose, celles des « Plaisirs de l'esprit » sur du papier gris (comme la matière), etc., permet une classification facile à identifier dans son carnet à anneaux.

Les listes à double colonne

Pour toutes les questions en attente, les faits et leurs interprétations (coïncidences...), les dialogues. Datez-les pour les situer dans le temps.

Les listes « Œuvres d'art »

Listes d'artiste avec des crayons de couleur, des courbes et des lignes droites, des recoupements, des zones de teintes différentes... de quoi dessiner avec les mots, les formes et les couleurs un véritable mandala [1]. À chacun d'œuvrer selon ses goûts et ses méthodes. Les vrais artistes peuvent représenter leurs idées sous forme de mandalas entremêlés de textes.

L'art de la liste peut être très créatif, constitué de séries (par couleur par exemple). Un de mes amis avait étudié Baudelaire en mettant des couleurs appropriées sur chaque « humeur » du texte. Vous pouvez, dans certaines de vos listes, accompagner chaque entrée d'une miniature dessinée par vous. Si vous n'êtes pas bon en dessin, ce petit exercice quotidien vous fera progresser.

Les listes calligraphiées

Apprendre à former de belles lettres, utiliser un stylo plume, ou même plusieurs tailles de plumes, de pinceaux pour recopier certains poèmes, de belles

---

1. Représentation géométrique symbolisant l'univers et servant de support aux méditants de certaines religions asiatiques.

phrases... peut être un passe-temps et une activité artistique merveilleusement relaxantes.

Les listes sous forme de serpentins, cercles, pyramides, symboles

Inspirez-vous des poètes et écrivains pour retranscrire les mots que vous aimez, les listes que vous considérez comme vos mantras sous formes aussi diverses qu'originales. Il faut savoir déjouer la monotonie parfois.

Les listes « Tableaux » – de paysages, de portraits...

Pourquoi ne pas peindre des aquarelles sur le papier avant d'y coucher vos rêves ?

Les listes « Abécédaires ou à initiales ornées »

Pourquoi ne pas aller dans une bibliothèque faire des recherches sur des manuscrits de textes anciens et recopier quelques-unes de leurs fioritures pour personnaliser votre carnet ?

Les listes « Croquis »

Étant de fins gourmets, beaucoup de Japonais en voyage font un journal sous forme de croquis de leurs repas. De véritables petits bijoux parfois, qui donnent envie de s'inscrire soi-même à des cours de... croquis ! Des flèches renvoient au nom des ingrédients. Étant donné que les céramiques, porcelaines, leur couleur, leur forme, et la présentation des aliments en général sont aussi importants que la recette elle-même, ce type de listes est une excellente façon de retenir toutes sortes de compositions gastronomiques élégantes. À moins de prendre une photo avec son portable...

Les listes « Collages »

Coller une petite photo de l'auteur, en haut de page, à côté du titre de ses notes de lecture peut faire de la pratique des listes une véritable bibliothèque de poche. Quand vous trouvez la photo d'un auteur que vous avez lu et résumé dans un magazine littéraire ou un journal, découpez-la et collez-la en haut de votre note de lecture. Pour les notes sur l'ordinateur, cette idée ne s'adresse, évidemment, qu'aux techniciens de l'informatique !

Les listes à composer à deux, en famille ou en groupe

Un « livre portrait » écrit à deux sur une vie et les sentiments en commun (ne pas craindre de noter même ce qui n'est pas très flatteur) peut constituer un excellent moyen de « rafraîchissement » du couple. Ce type de listes à deux peut être composé dans un parc, sur une couverture de pique-nique, autour d'un feu de bois... Il y a aussi les listes souvenirs que l'on peut composer en famille, en posant chacun à sa guise des questions que l'on aimerait éclaircir quant à des ancêtres que l'on n'a jamais connus. Leur sang coule dans nos veines !

Les listes à partager

Il y a des listes qui se donnent, qui s'échangent, qui se partagent, qui se demandent. Demander à sa mère ou sa grand-mère de nous écrire les paroles de ses chansons de jeunesse, ses recettes cordon-bleu, ses citations ou poèmes préférés peut amener à plus de complicité, de rapprochement, d'échange.

Les listes que l'on peut offrir

Les listes de quelques-unes de ses recettes, de ses citations préférées sur une jolie feuille de papier enroulée dans un ruban... offertes à une personne chère aura certainement une valeur toute particulière, très personnelle. Comme quand, adolescente, on offrait des cassettes de ses chansons préférées à ses meilleurs amis ou à ses amoureux...

Les listes par les chiffres

« Nombrer, c'est dans l'histoire de l'humanité mesurer le temps à partir de repères cosmiques et autres. Mais le nombre est aussi un art du temps, étiré, démultiplié, collectionné, scandé. Car le nombre est puissance d'infini. Liste des " choses " des *Notes de chevet* de Sei Shonagon, " Exhaustion d'images " (Jaqueline Pigeot) à propos des pratiques du dénombrement... Vingt ans après Shonagon, Tokugen exploitera un art de la liste encore plus complexe. Constituée par séries (par exemple la couleur), chaque liste regroupe des éléments hétérogènes. Ainsi de ces choses violettes, si variées : lande violette, robe violette, santal violet, serviette violette, chrysanthèmes violets du mont Kurai... le violet se décline dans une diversité ramifiée. Mais linéaire ou éclatée, homogène ou hétérogène, la liste demeure un genre spécifiquement japonais, le mono zukushi. Certes, ces listes s'inspirent à l'origine de sources chinoises (voir les quarante et une listes de Li Shang-yin) et les collections botaniques hollandaises ont joué un rôle important dans les listes figuratives (exemple : la *Manga* d'Hokusai). Mais les liens entre nombres, choses et affects semblent ici principiels. Car énumérer, enchaîner, multiplier, accumuler c'est pratiquer un art du multiple avec ou sans unité. Cela engendre un processus d'intensification, fait de petites différences et d'intervalles. Comprendre ces pouvoirs des nombres, c'est d'abord revenir aux paradigmes d'un sacré d'immanence, qui ne pratique pas l'un ou la trinité, mais le multiple. Mille est le chiffre symbolique des mille visages humains. »

Christine Buci-Gluksmann,
L'Esthétique du temps au Japon [1]

La symbolique du nombre sacré n'énumère pas, elle multiplie.

1. Éd. Galilée, Paris, 2001.

Pouvoir symbolique où le 1 000 est le « sans fin », tout comme le 7 des 7 sons de cloche, trois fois les 7 sons de gong, les 7 rochers du jardin zen, 7, figure du zen, ce chiffre apporte le bonheur. Ce qui fait la différence entre ces listes et les autres formes de données écrites, auditives, visuelles, c'est leur organisation, leur système de classement, leur sélection, leur édition.

Quelques listes par chiffres...

Liste de 108 choses néfastes et désirs à abolir représentés par le son de la cloche pour se faire aider des divinités orientales
Listes du « 1 » (un seul et unique)
Listes du « 2 », les compléments (yin et yang...)
Listes comportant le chiffre 7 (la théorie des 7 ans de Steiner, le chiffre 7 porte-bonheur...)
La liste du chiffre rond « 10 » (les dix commandements...)
La liste des choses de mon nombre fétiche (« 28 »...)
La liste de « 100 » (facile à délimiter et compléter)
La liste de « 1 000 » (plutôt quantitative, comme « Mes 1 000 petits plaisirs, 1 000 mercis, 1 000 baisers... »)

Donner un titre spécifique à chacune de ses listes

Tout thème détermine une frontière précise, une séparation. Éditer veut dire éliminer tout ce qui est inutile puis réarranger les données restantes en un système logique, cohérent et clair. Pour cela, tout ce qui est hors d'un système doit être « traité », c'est-à-dire éliminé ou déplacé afin de ne pas obstruer la vision claire et nécessaire à l'ordre de la liste. Beauté et clarté s'ensuivront. Le plus important, cependant, reste de donner un titre très précis à ses listes. C'est ce qui nous indiquera l'orientation exacte de l'emplacement où coucher nos notes.

Une fois de plus, le secret d'une bonne collection de listes tient dans la précision de l'énoncé de son contenu. La liste est en quelque sorte un « art du cadre » qui permet d'offrir aux gens quelque chose qui les accroche, l'envie de changer, de mettre en pratique ce qu'ils écrivent.

Je vous donne page suivante quelques exemples de rubriques.

Rubrique « Culture » *Bibliographie* *Films vus* *Expos*
Rubrique « Fée du logis » *Comment... (cf. p. 69)*
Rubrique « Voyages » *Noms de lieux visités* *Noms d'hôtels* *Anecdotes* *Sensations...*
Rubrique « Domaine de l'irrationnel » *Mes rêves nocturnes* *Rêves pour le futur* *Mes rêves les plus fous* *Coïncidences*

Rubrique « Mes chroniques » *Activités diverses*
Rubrique « Renseignements » *Informations recommandées par des amis* *Adresses notées dans un magazine* *Numéros de téléphone pratiques*
Rubrique « Informatique » *Liste de sites Internet* *Liste de mots de passe* *Liste de raccourcis de clavier*

Quand faire ses listes ?

> « Le journal est un endroit dans lequel on n'a pas à se soucier d'être parfait. »
>
> Anaïs Nin, *Journal*

Lorsque Anaïs Nin écrivait son journal, elle avait pris l'habitude de s'asseoir calmement quelques minutes avant de commencer à écrire. Elle fermait alors les yeux et se laissait aller à ressentir les événements les plus marquants ou les sensations les plus fortes de sa journée.

Faire des listes, nous l'avons déjà dit, c'est comme faire un journal dans un style minimaliste. C'est, dans le même registre, cette sorte de volonté farouche de comprendre la vie, vouloir lui donner un sens. C'est essayer de mettre sa vie en ordre, lui trouver une logique. Le fait d'écrire ne doit cependant pas prendre plus de place que ce que l'on veut consigner : les listes sont faites pour nous donner la liberté d'écrire à tout instant, en tout lieu, en toutes circonstances et surtout quand l'envie nous en prend.

Par exemple :

Dans un café, dans un embouteillage : griffonnez quelques idées sur les compilations de musique que vous voudriez avoir.

En mangeant un sandwich : notez vingt choses que vous voudriez faire avant de mourir.

Pendant les pubs de TV : résumez ce que vous venez d'écouter ou ce que vous voudriez faire pendant les vacances.

Dans la salle d'attente du médecin : dix choses pour vivre plus sainement.

Sinon, chaque soir, une dizaine d'éléments dans vos listes, comme un souvenir ou deux qui vous sont revenus de votre enfance, un plat que vous aimeriez cuisiner. En un an, vous en aurez 3 650, en dix ans 36 500 ; un trésor !

Quelques livres de listes qui peuvent vous inspirer

Les listes de Jonathan

Voici une liste de listes perdues composées pour moi par un ami new-yorkais, Jonathan :

« Dominique m'a concentré sur l'idée qu'une liste peut révéler beaucoup sur une personne. Donc moi, j'ai commencé à créer une liste : celle de dix listes que j'ai vraiment chéries mais qui sont actuellement perdues. Bref, une liste de listes perdues.

1. Une liste de noms de chats habitant la Casa Azul, maison de Frida Kahlo au Mexique, écrite dans un cahier en 1995. J'avais remarqué la présence de nombreux chats là-bas, et demandé au jardinier leurs noms. Et je les avais soigneusement notés. Tout pour rien, évidemment.
2. Une liste illustrée de tissus de batik africains que j'avais conçus pendant mon séjour à Accra, au Ghana, en 1990, sur un cahier d'écolier. Un de mes rares projets visuels.

3. Une liste des albums vinyle que j'ai eus, sous forme de base de données électroniques, composée sur un PC " IBM 1re génération " et que j'avais sauvée sur une disquette de 5 ¼ pouces; disquette consultée pour la dernière fois en 1987.

4. Les noms de personnes réunies à une soirée inoubliable chez Samassekolu, dans le quartier russe d'Accra au Ghana, en octobre 1990. Gens d'origines et de langues parlées diverses. Si je me souviens bien, nous avons dû utiliser plus de vingt langues différentes pour communiquer les uns avec les autres : hausa, bambara, anglais, akan...

5. La liste, dans un cahier, de tous les repas partagés avec ma copine Elizabeth entre novembre 1995 et mai 1997. Cahier perdu mystérieusement en autobus en mai 1997. Nous avons recommencé de zéro, mais ce nouveau cahier que j'ai toujours ne contient plus grand-chose.

6. Une liste de chansons répertoire du groupe Straight Edge, dans lequel je tenais la basse, sous forme de table de données électroniques, laissée avec le groupe, en été 1996, quand je l'ai quitté.

7. Une liste de livres classiques que j'ai lus à la suite d'une performance en 1986 de *Samson*, l'oratorio de Haendel; le premier titre de la liste était " Paradis perdu " de John Milton. La liste s'est perdue, elle aussi, en 1988.

8. Les listes de divers morceaux de jazz écoutés sur les ondes radiophoniques de WKCR entre 1988 et 1989, chacune datée et organisée par titre, artiste et album. Véritable réseau pour examiner mes goûts

musicaux et comment ils ont évolué ces dernières années.

9. Une liste de trajets à vélo accomplis sur un mois en juillet 1998 à Brooklyn (New York) : j'avais pédalé sur plus de 1 600 km. Je me demande toujours combien de circuits sur Prospect Park et Central Park il m'aurait fallu faire pour arriver à ce même résultat.

10. Une liste de lettres écrites lors de mon séjour en Afrique, dactylographiées et notées par dates, noms des personnes, thèmes. Elles étaient aussi numérotées par correspondant ; une liste qui me servait d'index aux copies carbone de ces mêmes lettres que je gardais aussi. Elles sont pour moi un trésor. Il faut que je les retrouve. Souvent je me dis que je n'ai fait que retracer les mêmes thèmes dans ma correspondance pendant des décennies. Cela me ferait plaisir de pouvoir relire cette correspondance. »

Le Grand Almanach poétique japonais

Cet ouvrage, traduit en quatre volumes en français [1], est peut-être le recueil littéraire le plus important de toute l'histoire des Japonais.

Collection très détaillée de dates et de mœurs commémoratives, répertoire de caractéristiques saisonnières agrémenté d'un ou de plusieurs poèmes qui les mettaient en valeur, il a pendant très longtemps

1. *Le Grand Almanach poétique japonais*, édité et traduit du japonais par Alain Kervern, Éd. Folle Avoine, Bedée (Ille-et-Villaine), 1988-1992.

joué un rôle très important dans le cœur du peuple japonais.

Il recense plus de 4 900 expressions évoquant les saisons et tout ce qui s'y rapporte (coutumes, plantes, bestiaire, nourriture...). Chacun pouvait, à l'époque de sa parution, puiser à sa guise dans ce trésor de poésie et de sensibilité les expressions qui lui étaient nécessaires pour composer ses propres poèmes.

Chacun des 5 almanachs (4 saisons et le Nouvel An) est divisé en 7 parties

1. Au fil des saisons
2. Le ciel et ses humeurs
3. Rivières et montagnes
4. La vie des hommes
5. Fêtes et cérémonies
6. Bestiaire
7. Ce que disent les plantes

Le *Dao de jing* de Lao-tseu

Ce livre, considéré comme la bible du taoïsme, est plutôt un traité composé de sentences ayant trait au « Principe et son action ». Observation de la nature, du « vide et muet », le *Dao de jing* [1], ce petit livre, est une longue liste de principes faciles (en apparence

1. *Dao de jing : le livre de la voie et de la vertu*, traduit du chinois Lao-tseu, par Claude Larre, Desclée de Brouwer, Paris, 2002.

seulement) à comprendre et à appliquer à soi-même comme on voudrait les voir appliqués aux autres.

Un autre ouvrage à « assimiler » pour une vie plus riche et plus profonde.

Notes de Li Yi-chan

Les listes de Li Yi-chan [1], poète chinois du VIIIe siècle, « listes-répertoires », sont autant de miroirs éclectiques du monde, comme ceux qui entouraient l'auteur, suggérant, par exemple, la richesse ou la pauvreté de l'époque en listant les mets consommés ou la façon de se chauffer :

> « Murmure de la lecture et de l'oisiveté qu'elle suppose...
> Lichees et thés, denrées aussi chères que rares à son époque... »

Mais alors que Li Yi-chan avait rassemblé ses listes dans un ballot avec l'intention de rejoindre son pays natal pour la fin de sa vie, il mourut trois jours avant son arrivée. On dit qu'il ne composait jamais sans consulter nombre de documents de référence et avait, pour cette raison, reçu le surnom de T'a su yu, ce qui signifie la loutre. La loutre a, en Chine, la réputation d'avoir l'habitude d'aligner le produit de sa pêche sur la boue de la berge et de la contempler avant de s'en nourrir.

---

1. Li Yi-chan, *Notes*, traduit du chinois par Georges Bonmarchand, Le Promeneur, Paris, 1992.

C'est aussi de ce même auteur que nous viennent les tsa-ts'ouan, merveilleuses listes répertoires dont se sont inspirés Sei Shonagon et Urabe Kenko au Japon. Ces listes étaient composées à l'époque sur des bandelettes de papier reliées par de la ficelle, comme on peut encore en trouver dans les magasins vendant du matériel de calligraphie au Japon. C'est de ces carnets que se servait Sei Shonagon en guise d'oreiller (traditionnellement, l'oreiller japonais est constitué d'un petit socle de bois pour maintenir la nuque des courtisanes sans les décoiffer et fait aussi parfois office de coffret secret). D'où le titre *Notes de chevet.*

Quelques extraits des 42 listes des tsa-ts'ouan

Choses qui ne s'accordent pas (par exemple un boucher et un sutra bouddhique)

Ceux qui, de honte, n'osent se montrer (la nonne enceinte...)

Ce dont on craint la découverte (adultère...)

Ce qu'on ne déteste pas (trouver un gîte après une longue marche...)

Ceux qui ne sont guère pressés (la jeune épouse qui reçoit un visiteur...)

Ressemblances (hirondelles et nonnes : elles sont toujours avec une compagne)

Ce qu'il vaut mieux ne pas connaître (la boisson, pour un bonze...)

Choses fâcheuses (en présence de mets délicats, avoir le ventre dérangé et ne pouvoir y toucher...)

Sages écrits de jadis

Sages écrits de jadis[1] est un ensemble de maximes diverses sous forme de citations, poèmes, aphorismes et expressions populaires... (le Chinois recherche constamment l'harmonie dans la famille comme dans la vie sociale). Ce livre est une compilation effectuée par toutes sortes d'auteurs, et constitue un bouquet de philosophies et styles différents. Sobriété des formes, richesse et diversité du contenu..., la complémentarité assumée des diverses visions philosophiques crée une harmonie entre les styles différents, tirées de sources aussi variées que les Classiques de l'Antiquité chinoise et les romans célèbres des Yuan et des Ming. Cette sorte d'écrits s'apparente à un genre littéraire assez développé en Chine, celui des textes courts.

Les thèmes abordés dans ce petit livre sont multiples. Les Chinois aiment parler par proverbes. Que de plaisir à lire et relire ce florilège de maximes...

L'auteur de ces compilations, Yang Dan, explique :

« Beaucoup de ces maximes préconisent de cultiver les vertus de patience et de maîtrise de soi. Chaque écrit peut toucher chacun aux racines de sa vie et lui apporter un éclairage pour chacun des moments de son existence. D'où l'attrait de ces maximes pour tout homme en quête de sagesse.

---

1. Édités et traduits du chinois par Yang Dan, Cerf, coll. « Patrimoines Chine », Paris, 2006.

Car, après tout, le but de toute sagesse humaine est de savoir comment l'homme demeurera un homme et comment il jouira le mieux de la vie. »

Ne fais que de bonnes actions, tu n'auras pas à te soucier de l'avenir

Tenir sa langue comme on bouche une bouteille ; se défendre des envies comme on protège une cité

Plutôt subir des torts qu'en causer à autrui

Ne dis que deux ou trois mots à celui que tu rencontres. Imprudent serait de tout lui confier

Faible, ne porte pas de lourdes charges

Humble, évite de donner des conseils

L'amitié est aussi fragile qu'une feuille de papier

La vie change comme aux échecs

Pour arrêter de boire, observe les ivrognes

Contiens la colère du moment, tu éviteras cent jours de tracas

Conclusion

> « Chaque homme est un maillon. Il donne une forme à l'existence, à son existence, enfin, il devrait le faire. Sinon il demeurera une graine destinée à pourrir en terre, faute d'avoir engendré son développement. Et, à ce titre, nous sommes tous responsables, tous obligés de nous dérouler dans des actes. Il n'y a pas d'êtres inférieurs, il n'y a que des êtres qui ne veulent pas se hausser vers le supérieur, développer l'ascension enroulée en eux-mêmes. »
>
> Théodore Monod

La vie est et restera toujours une respiration après une autre, une pensée à la fois, un monde après un autre. Créez, par l'enchaînement d'une myriade de petites listes, votre propre réalité. Non seulement vous ne laisserez pas échapper votre vie, mais vous la saisirez, la savourerez et la vivrez mieux.

Plus que tout, souvenez-vous,
le mot clé est...
« NOTER »